1981

RECUEIL DE LECTURES

En passant devant la mairie, je vis qu'il y avait du monde
arrêté près du petit grillage aux affiches.

AN INTERMEDIATE
READER IN FRENCH

Recueil de lectures

DORA STOCK
MARIE STOCK

D. C. HEATH AND COMPANY BOSTON

Offices: BOSTON   NEW YORK   CHICAGO
ATLANTA   SAN FRANCISCO   DALLAS   LONDON

Preface

In *Recueil de lectures* we have attempted to assemble suitable reading material for the high school or college student at the intermediate stage of the study of French. This has not been an easy task, for at this stage the language must not be too difficult and yet the ideas must not be juvenile. We hope that our selection will appeal to a variety of interests and at the same time give an insight into some interesting aspects of French life.

It is to be hoped that old favorites like *La Dernière Classe* and *La Parure* will create an interest in French literature. France in America is represented by *Le Fer à cheval* and *Le Travail*. Interspersed among the more serious pieces are such amusing tales as *Propos de chasse* and *La Conversion du soldat Brommit*. Six folk songs of France and French Canada introduce a touch of harmony into the classroom.

The original text has been slightly abridged in a few cases, but in no instance has the language been simplified. Although *La Grammaire* has been placed last because of its length, the language is less difficult than that of some of the short stories, and teachers may wish to read it before studying the other selections. For this reason the exercises based on the play have been so constructed that they require only an elementary knowledge of grammar.

The purpose of the exercises is to develop facility in comprehension and in expression. The "A" exercise in each section contains enough questions to test the understanding of each day's assignment or to review the content of the whole story. In the "B" exercises the student receives training in phrasing definitions and explanations in simple French. On a special page, inserted between the textbook proper and the portion containing the exercises, he will find a series of type-definitions and a list of words useful in defining. Although it is not the primary purpose of a reading textbook to teach formal grammar, a knowledge of basic grammatical points is essential to accurate understanding and appreciation of the subject matter. The grammar exercises in section "B" and the exercises for translation into French in section "C" review the common points of syntax and will help to fix the vocabulary of the text. Models for imitation have been given where the point of syntax involved may not yet have been studied. Finally, section "D" is designed to encourage the student to express his ideas in his own words.

An attempt has been made to give a short, systematic review of the pronunciation of French sounds. In the exercises based on the short stories the vowel sounds have been reviewed in the order in which they occur in the vowel triangle. Common consonant sounds are reviewed in the exercises based on *La Grammaire*.

Pronunciation of words deviating from the normal, necessary explanations, and biographical notes on the authors have been included in the vocabulary.

Information about recordings of the songs may be obtained from the RCA Victor French catalogue.

We wish to express our gratitude to Professor F. C. A. Jeanneret for his helpful advice in the selection of passages and the preparation of exercises and vocabulary, to Mr. Marsh Jeanneret of the Copp Clark Company for his valuable suggestions in all matters pertaining to the editing of this book, and to Mrs. Mack Eastman and Mlle Laure Rièse for reading the exercise material.

D. S.
M. S.

Contents

RECUEIL DE LECTURES

Le Fer à cheval

C'EST un Montréalais bien connu qui parle.

Cette année-là, dit-il, je passai l'hiver à la Nouvelle-Orléans, en compagnie d'un de nos compatriotes, que je nommerai Alphonse, si vous le permettez—le plus aimable des camarades, le plus loyal des amis, mais 5 aussi l'enfant le plus fataliste de la création.

Fataliste à ce point, qu'un bon jour, en pleine rue, il me tombe presque dans les bras en s'écriant tout joyeux:

—Mon cher ami, embrasse-moi: je viens de perdre cinq piastres! 10

Et, avant que j'eusse eu le temps de lui faire remarquer que je ne voyais point là un sujet de félicitations bien pressant, le voilà à faire un tour de valse sur le trottoir, au grand ébahissement des passants affairés.

Il avait accidentellement cassé un petit miroir le matin, 15 et il s'attendait à n'importe quel malheur dans le cours de la journée. La perte des cinq dollars conjurait la guigne; de là l'exubérance de sa jubilation.

Les chats noirs avaient, en particulier, le don de l'horripiler. Il aurait fait dix lieues pour en éviter un. 20

1

C'était le premier hiver que je passais sous un climat méridional; et, ne connaissant encore, en fait de température de décembre, que les bourrasques neigeuses de Québec et la bise glaciale de Chicago, je vivais dans
5 l'extase, grisé de soleil et de parfums.

Alphonse faisait partie d'une grande maison d'exportation de produits louisianais; et, sur le même palier que les bureaux de l'établissement, mais en arrière et séparé d'eux par une vaste pièce à peu près vide, qui servait,
10 au besoin, de magasin d'échantillons, il s'était meublé un fort joli appartement que nous partagions en frères.

Les cloisons qui nous séparaient des bureaux étaient vitrées depuis le soubassement jusqu'au plafond; de sorte que, de notre chambre à coucher—c'était cette pièce-là
15 surtout que nous partagions en frères—nous pouvions apercevoir plus ou moins ce qui se passait du côté de la façade, où, par parenthèse, se trouvait notre seule issue.

Une antichambre tout étroite nous mettait en communication avec le magasin.
20 Noël approchait . . . le jour de l'An aussi, naturellement; nous nous promettions du bon temps, de joyeuses soirées, d'aimables rencontres.

Un soir, cependant, en rentrant au logis après une nuit passée chez un planteur des environs, je trouvai
25 Alphonse tout morose.

Un chat de couleur noire s'était, à ce qu'il me raconta, introduit le matin dans nos chambres, on ne sait trop comment, et John, notre domestique, de couleur noire aussi, aidé de toutes les mains en disponibilité, avait eu
30 un mal de chien à en débarrasser la maison.

Durant deux jours, mon ami parut préoccupé, inquiet.

Le causeur brillant, toujours prêt à rire à plein cœur, se faisait taciturne. Il ne mangeait plus que du bout des lèvres.

Le chat noir pouvait l'avoir ennuyé, mais le boule-verser à ce point, c'était inadmissible.

—Allons, lui dis-je la veille de Noël au soir, en le voyant fureter partout avec une humeur massacrante, qu'y a-t-il donc pour te rendre ainsi tout chose? 5

—Il y a ... grommela-t-il, qu'on m'a volé, tout simplement.

—Volé!

—Oui! et le plus triste, ajouta-t-il en se laissant tomber les bras de découragement, c'est que j'ai peur d'être 10 obligé ... de soupçonner quelqu'un ...

—Est-ce possible? Mais qui pourrais-tu donc soup-çonner?

—John, notre pauvre nègre. Comprends-tu? soup-çonner quelqu'un qu'on a toujours cru honnête! Renvoyer 15 un homme, déshonorer un vieillard ... innocent peut-être! Parole d'honneur! je ne voudrais pas pour dix fois ce que j'ai perdu...

—Mais qu'as-tu donc perdu?

—Mon porte-monnaie. 20

—Avec de l'argent?

—Deux billets de cinq cents.

—Sapristi!

—Oui, mon cher, j'avais retiré cet argent de la banque pour conclure un marché, le soir, avec un vieux Créole. 25 Tu sais que bon nombre de ces Créoles ne veulent pas entendre parler de chèques; à peine s'ils acceptent des *greenbacks*. Or, mon homme ayant manqué au rendez-vous, mes mille dollars étaient restés en portefeuille; et tout a disparu le lendemain matin, tiens, là, sur le dossier 30 de cette chaise, dans la poche intérieure de mon gilet... Maudit chat noir!...

—Et tu as bien cherché?

—J'ai tout bouleversé, rien!... Mais n'en parlons

plus, ajouta-t-il, en me prenant par le bras et en me tournant la tête du côté d'un joli petit poêle de fantaisie qui occupait le centre de notre chambre à coucher, regarde! c'est la dernière fois que ces bêtises-là m'ar-
5 rivent.

—Qu'est-ce que c'est que ça?

—Un fer à cheval que je viens de trouver dans la rue. Enfoncée la déveine!

Et, en effet, j'aperçus, qui se balançait avec des reflets
10 métalliques, un fer à cheval tout usé, suspendu en équilibre sur la fleur centrale qui surmontait le petit calorifère chargé de nous protéger contre les crudités éventuelles de la saison.

—Et tu crois . . . fis-je avec un sourire.

15 —Oui, je crois! interrompit-il avec conviction; tu verras toi-même.

—Eh bien, allons dîner; nous boirons à la santé du sorcier qui doit ramener la bonne étoile sur notre horizon. S'il pouvait te rapporter ton porte-monnaie!

20 —Qui sait? En tout cas, allons dîner, nous souperons après la messe de Minuit. J'ai recommandé à Victor de nous faire des croquignoles pour nous rappeler le pays.

—Bonne idée! Mais y tiens-tu, toi, à la messe de Minuit?

25 —Sans doute, j'y tiens. Les artistes de l'opéra vont chanter chez les jésuites, tu sais. . .

—Alors tu iras seul, car j'ai un rendez-vous pour la grand'messe de demain.

—Et les croquignoles?

30 —Tu m'en apporteras.

Et voilà comment, le 25 décembre 1870, vers une heure du matin, je dormais seul—notre domestique ayant son logement ailleurs—dans un appartement solitaire de la rue Poydras, à la Nouvelle-Orléans, pendant que sous les voûtes tout illuminées des églises flottaient les chants joyeux de cette mystérieuse nuit de Noël si chère à tous les cœurs chrétiens.

Tout à coup, je m'éveillai.

Un bruit s'était fait entendre du côté des bureaux. 5

—Voici Alphonse qui rentre, me dis-je à moi-même; j'aurais dû laisser le gaz allumé.

Ici, il me faut ouvrir une parenthèse.

Depuis quelques semaines, une singulière terreur régnait à la Nouvelle-Orléans. 10

On ne parlait que de cambrioleurs et de vols avec effraction.

Tous les matins, les journaux nous apportaient le récit de portes enfoncées, de tiroirs forcés, de coffres-forts dévalisés. 15

La police n'y pouvait rien. Les hardis voleurs défiaient sergents de ville et détectives, avec une habileté étonnante et une audace inouïe.

Guettés dans une direction, ils opéraient dans une autre, et presque toujours à coup sûr. 20

Ils s'attaquaient surtout aux coffres de sûreté; et quand ceux-ci résistaient aux rossignols et aux pinces-monseigneurs, les coquins se servaient au besoin de fulmi-coton, de nitro-glycerine ou autres explosifs pour faire sauter les gonds et les serrures. 25

Bref, la ville était dans une alerte presque continuelle.

Mais revenons à mon récit.

Au moment où je faisais cette réflexion que j'aurais dû laisser le gaz allumé pour guider mon camarade, j'aperçus, en détournant la tête, comme un vague reflet 30 intermittent se jouer dans le vitrage de la cloison.

—Allons, tant mieux, pensai-je, il a de la lumière.

Et j'attendis.

Pas un bruit de pas; silence complet.

—Qu'est-ce qu'il fait donc? me demandai-je en m'agenouillant sur mon lit pour jeter un coup d'œil du côté des bureaux.

—Tiens, ils sont deux! fis-je tout surpris. Et que
5 vont-ils faire à la caisse?

Au même instant, la lueur d'une lanterne sourde me passa sur la figure, puis j'aperçus deux ombres qui se penchaient vers un des coffres-forts de l'établissement; j'entendis même résonner le bouton de la serrure à secret.
10 Une pensée rapide comme l'éclair me fit frissonner jusque dans la racine des cheveux.

Nul doute, c'étaient les cambrioleurs!

Qu'allait-il arriver?

Se contenteraient-ils de piller les bureaux?
15 S'aviseraient-ils de venir de mon côté?

Et alors?...

Comment leur échapper? comment donner l'alarme? comment me défendre, si l'on me relançait au fond de ce gîte sans issue, où j'étais pris comme dans une souricière?
20 Pas une arme, pas une canne!

J'étais même incapable de m'habiller, le moindre bruit pouvant attirer l'attention des malfaiteurs.

Il ne fallait pas rester au lit pourtant.

Une idée me vint: le fer à cheval d'Alphonse!
25 Et me voilà me glissant hors de mes couvertures avec des précautions infinies, et me dirigeant à pas de loup, tout doucement, tout doucement, vers le poêle, où je voyais luire vaguement dans les pâles clartés de la nuit, la seule arme que le hasard me fournissait.
30 Oh! la bonne idée tout de même qu'il avait eue, ce cher Alphonse!

Un instant après, j'étais debout dans l'antichambre, effacé derrière le chambranle de la porte s'ouvrant sur le magasin, en chemise de nuit, flageolant sur mes jambes, claquant des dents, retenant mon haleine, la sueur au front, l'angoisse au cœur, et mon fer à cheval à la main.

On est toujours plus craintif à l'étranger que chez soi. Du reste un réveil en sursaut n'est pas fait pour donner 5 de l'assurance. J'avais une peur folle.

L'attente dura-t-elle longtemps? je ne saurais le dire, mais cela me parut long comme un siècle.

Ce que les voleurs avaient fait pendant ce temps-là, je ne m'en rendais aucunement compte. 10

J'avais la tête perdue.

Et j'attendais la fin, n'ayant qu'un espoir: que les *burglars*, satisfaits de leur butin, partissent sans songer à se diriger de mon côté.

Vain espoir. 15

Les deux ombres—elles me parurent gigantesques— étaient sorties des bureaux et s'en venaient droit à moi, le feu de leurs lanternes se promenant d'abord de droite et de gauche comme pour explorer les lieux, et enfin s'arrêtant sur la porte ouverte, où, figé de terreur et plus 20 mort que vif, j'attendais le dénouement tragique qui ne pouvait manquer maintenant de se précipiter.

A cet instant suprême, par un curieux phénomène psychologique, le courage du désespoir me revint au cœur avec le sang froid. 25

Je pus réfléchir.

Je me dis qu'une seule chance de salut me restait: ne pas me laisser surprendre, en assommer un du premier coup; et dire à l'autre: A nous deux!

Pas une seconde ne s'écoula entre la pensée et l'exé- 30 cution.

Les deux hommes marchaient vers moi, presque entièrement masqués par l'ombre, leurs réflecteurs projetant deux cônes de lumière en droite ligne devant eux.

Ce fut alors que j'apparus soudain, blanc comme un spectre dans l'encadrement éclairé de la porte; et plus prompt que la foudre, en poussant un cri sauvage, je lançai mon arme avec une précision et une force terribles, droit à la tête de ce que je croyais être un des bandits. . . .

Clic!. . . un bruit sec et métallique se fit entendre, en même temps qu'une voix tonitruante hurlait:

—*Hey!* . . . *don't kill the police!* . . .

Le contrecoup de l'émotion me fit chanceler.

La réaction fut si soudaine que je pus à peine balbutier un mot d'excuse au pauvre gardien de la paix, que j'avais failli tuer.

Tout s'expliqua.

Alphonse, en partant pour la messe de Minuit, avait mal fermé la grande porte de fer qui donnait accès à notre appartement.

Le pêne à ressort n'était pas entré dans la gâchette.

Les deux sergents de ville, redoublant de précautions à cette époque de brigandages fréquents, avaient, dans leur ronde de nuit, poussé la porte, et la trouvant entr'ouverte, pénétré à l'intérieur à la recherche des voleurs possibles.

Ils avaient visité les bureaux, examiné les coffres de sûreté, et ils étaient en frais de compléter leurs recherches, en faisant une tournée dans les autres parties de la maison, lorsque mon fer à cheval était venu heurter et briser l'un des numéros en chiffres de cuivre qui ornaient le front de leurs shakos.

Si le coup avait porté deux pouces plus bas, le malheureux était assommé.

Je me remis petit à petit; et quand l'ami Alphonse rentra, tout effaré de voir la porte ouverte, il me trouva aux prises avec une bonne bouteille de vieux bourbon du Kentucky, pour me restaurer les nerfs d'abord, et ensuite pour trinquer avec mes dévaliseurs de *safes*, deux bonnes têtes d'Irlandais qui riaient de ma peur avec des bouches fendues jusqu'aux oreilles.

—*Here's your luck!* criaient-ils avec un entrain magnifique.

—*Here's your luck! old friends!* répondais-je avec un enthousiasme guère plus dissimulé.

—*Merry Christmas!* intervint le bon Alphonse en entrant. J'apporte les croquignoles.

—*Merry Christmas and Happy New Year!*

—*God bless ye all, and Erin go bragh!*

Mon camarade fut bientôt au courant de la situation.

—Tu vois, mon vieux, me dit-il, qu'il est quelquefois bon d'avoir un fer à cheval sous la main.

—En tout cas, fit le policeman dont le numéro était endommagé, ça vaut toujours mieux que de l'avoir dans le front.

—Au fait, remarquai-je, qu'est-il devenu, le fer à cheval?

—Je n'en sais rien, fit l'un des sergents.

—Ni moi, dit l'autre.

—Le fait est que je ne l'ai pas entendu tomber, fis-je à mon tour.

—Cherchons-le!

Et, armés de bougies et de lanternes sourdes, nous nous mîmes à fureter dans tous les coins, à la recherche du fer à cheval.

—Mais où est-il donc?

—Il ne doit pourtant pas être bien loin.

—Pour sortir du magasin, il lui aurait fallu passer à travers un carreau.

—Et nous n'avons rien entendu.

—Et pas une vitre n'est brisée.

—C'est étrange.

—A moins qu'il ne soit là-dessus, hasarda l'un des sergents de ville.

Et il désignait une longue pile de barils vides de whisky dressés bout à bout dans un coin du magasin, et
5 qui atteignaient presque le plafond.

—Ce n'est pas possible.

—Je veux en avoir le cœur net, dit Pat.   Fais-moi la courte échelle, Michael.

Et voilà Pat en frais d'escalader les vieux barils qui
10 résonnaient joyeusement sous les assauts de ses poings et de ses genoux.

Enfin, il atteignit le sommet.

—*Hurrah, boys!* cria-t-il, *here's the beggar!*

Et il brandissait triomphalement le fer à cheval.
15 Tout à coup:

—*Hold on!* cria-t-il de nouveau.   Il y a autre chose. *What's this?*   Un porte-monnaie, *by Jove!*

—Mon porte-monnaie! clama Alphonse.

Et le brave policeman tomba dans nos bras, le porte-
20 monnaie perdu à la main.

—Il n'était pas pour rester là vingt ans, disait-il; excellente cachette.   Pas bête, le voleur!

Mon ami m'embrassait en riant aux larmes:

—Le fer à cheval! disait-il, le fer à cheval . . . y croiras-
25 tu maintenant?

Puis il devint tout triste; et jetant le fatal porte-monnaie sur son lit:

—Oh John! . . . dit-il d'un air découragé; je lui aurais confié une fortune. . . A qui se fier, mon Dieu?

30   Le matin, John parut, et à nous trois nous trouvâmes la clef de l'énigme.

Du gilet suspendu au dossier de la chaise, le porte-monnaie était tombé dans une botte qui par hasard se trouvait droit au-dessous.

L'infernal chat noir, poursuivi par tous les manches à balai de l'établissement, s'était réfugié sur les barils de whisky. La botte, lancée par le solide poignet d'Alphonse, avait délogé l'animal, mais était retombée vide.

Le porte-monnaie était resté sur la pile de barils; et 5 comme personne n'aurait jamais soupçonné qu'il fût là, il aurait bien pu, malgré l'avis de Pat, y rester vingt ans, et même plus.

A savoir, par-dessus le marché, si l'auteur de la trouvaille aurait eu l'honnêteté de John injustement soup- 10 çonnée.

Ce bon vieux John, s'il est encore de ce monde, il doit se rappeler les étrennes qu'il reçut cette année-là.

Quant à moi, je n'aurais jamais cru qu'on pût avoir une telle peur en pleine nuit de Noël. 15

LOUIS FRÉCHETTE

La Noël au Canada

Le Travail

A ma femme.

UNE fois, il y avait un homme et une femme, qui toute leur vie avaient travaillé la terre, et qui commençaient à se faire vieux.

Que de besogne ils avaient ensemble abattu, le vieil
5 Anselme Letiec et sa femme, Catherine, depuis le jour où ils étaient venus s'établir au cinquième rang de la paroisse, dans la dernière concession de la Seigneurie! C'est là, presque en forêt, qu'après les noces Anselme avait jadis amené Catherine. Elle avait alors dix-huit
10 ans, lui vingt et un. Tout de suite, ils s'étaient mis à l'ouvrage; et, quarante années durant, par les bons comme par les mauvais jours, hiver et été, pluie, neige ou soleil, sans relâche, ils avaient travaillé.

D'abord, il avait fallu faire reculer la forêt prochaine,
15 abattre le grand bois, essoucher et débarrasser le sol; puis étaient venus les premiers labours, si durs, en terre neuve; puis la lutte, opiniâtre et longue, contre la

12

nature rebelle, et, dans les champs agrandis, la tâche incessante au soleil qui brûle ou sous le vent qui hâle.

Des enfants leur étaient nés, nombreux, qui d'abord avaient tour à tour égayé la maison de leurs ébats, puis, après avoir quelque temps partagé la tâche quotidienne, 5 avaient, l'un après l'autre, quitté le toit paternel; l'aîné, qu'on avait envoyé au séminaire, était prêtre, et tous les soirs Anselme et Catherine remerciaient Dieu de cette bénédiction; les autres garçons, grâce à des soins industrieux, à de longues économies, étaient établis sur de bons 10 lots de terre; les filles avaient trouvé des partis avantageux.

Anselme et Catherine, demeurés seuls, commençaient à se faire vieux, et il leur revenait, à Anselme surtout, qu'autrefois ils avaient fait un rêve.

Ils avaient fait ce rêve, qu'un jour ils pourraient vivre 15 de leurs rentes.

Cette idée datait de loin.

Tout enfant, Anselme avait admiré comme certains messieurs du village n'avaient jamais rien à faire qu'à fumer leurs pipes au soleil, échanger des paroles avec les 20 passants, donner leur avis sur le temps et sur la récolte prochaine... «C'est des rentiers», lui avait dit son père; et plus tard, Anselme avait appris que les rentiers du village étaient comme qui dirait des habitants en retraite: ayant vendu leurs biens, ils finissaient là des jours 25 paisibles, en mangeant leurs petits revenus.

Le tableau de ces tranquilles vieillards, assis sur le pas de leurs portes, sans autre souci que de se laisser vivre, était resté, dans le souvenir d'Anselme, comme l'image du bonheur sur terre; et de cette impression 30 première, lui était né le désir d'être un jour un rentier.

Anselme avait si souvent parlé de ce beau projet que Catherine n'y contredisait plus; elle paraissait même partager l'ambition de son mari, mais sans enthousiasme, et comme pour lui faire plaisir.

Et voici que le jour était arrivé où le rêve pouvait enfin se réaliser. Depuis le mariage de leur dernière
5 fille, Anselme y songeait sérieusement. Il était encore robuste et solide; mais il eût fait si bon, lui semblait-il, de se reposer un peu! En vendant la terre et le roulant, il pouvait former une somme rondelette, tout à fait suffisante. Et justement, un emplacement était à louer,
10 près de l'église, avec une petite maison et un jardinet. Ils seraient bien, là!... Ils n'auraient qu'un petit ménage et un petit ordinaire facile; le matin, ils pourraient dormir et se lever aussi tard qu'ils le voudraient; tout le jour, ils se berceraient sur la galerie, en regardant
15 passer le monde; le soir, rien n'empêcherait qu'ils fassent, avec les voisins, une petite partie de dames ou de quatre-sept; et ils vivraient ainsi, tranquilles, heureux, en attendant la fin... Car ils n'auraient plus rien à faire: ils seraient des rentiers!...

20   —Catherine, dit un jour Anselme, si on vendait?
      —Comme tu voudras, répondit Catherine; mais...
    Quand Catherine Letiec disait: «mais»... elle avait d'ordinaire quelque objection sérieuse à faire.
      —*Mais* quoi? demanda Anselme.
25   —Mon vieux, reprit-elle, c'était plaisant, de penser qu'un jour on pourrait vivre de nos rentes; mais, à présent qu'il en est question pour vrai, il y a quelque chose qui me dit que ça ne serait peut-être pas aussi beau qu'on se l'imaginait. Veux-tu que je te dise? Eh!
30 bien, j'ai peur qu'on ne le regrette.
      —Peur qu'on ne le regrette!... Tu veux rire, vieille. Regarde un peu la vie qu'on mène, tous les deux, depuis quarante ans. Quarante années passées à trimer dur du Jour de l'An à la Saint-Sylvestre, ça doit être assez; on

a gagné de se reposer. Et puis, penses-y, on sera à deux pas de l'église: tu pourras aller à la messe tous les jours . . . et moi aussi. . .

Ils en causèrent longtemps.

Au fond, l'aventure tentait peut-être Catherine aussi. 5

Il fut décidé qu'on vendrait.

Le notaire, consulté, s'occupa de l'affaire: il était certain de trouver un acheteur; il en avait même un en vue, le père Maxime Bellefeuille, qui voulait établir son fils dans les environs, et qui avait de l'argent. 10

Tous les renseignements pris de part et d'autre, il se trouva que le père Bellefeuille donnerait un bon prix pour la terre, qui lui convenait, mais ne prendrait pas le *roulant*, un peu démodé. Le bonhomme, d'ailleurs, voulait réfléchir encore et ne devait donner sa réponse 15 que dans un mois.

Avant de partir de chez le notaire, Anselme demanda:

—En attendant, puisque le père Bellefeuille n'en veut point, on pourrait peut-être vendre le *roulant*, monsieur le notaire? 20

—En attendant, vous pouvez vendre le *roulant*, dit l'homme de loi.

Et, en attendant la vente de sa terre, Anselme vendit son *roulant*.

Partie à l'encan, partie de gré à gré, tout fut vendu, 25 les bêtes, les voitures, les instruments, les meubles. Anselme et Catherine ne gardèrent que le mobilier et les quelques ustensiles dont ils devaient se servir dans la maisonnette du village.

La vente dura une journée. Une annonce, faite à la 30 porte de l'église le dimanche précédent, avait attiré les enchérisseurs. Pendant des heures, ce fut, dans la maison, dans la grange, dans l'étable, sur le terrain de la ferme, un brouhaha à n'y rien entendre. . .

Enfin, le soir venu, chacun ayant payé et emporté son emplette, Anselme et Catherine se trouvèrent seuls.

Après souper, ils comptèrent ce qu'avait produit la vente; ils n'avaient plus une tête de bétail, plus une
5 fourche, mais devant eux, sur la table de la cuisine, s'élevait une jolie pile d'écus et de trente sous. Tout compte fait, Anselme n'avait pas espéré un si beau résultat.

—Vois-tu ce que c'est! dit Letiec, en serrant ses
10 bésicles dans leur étui. Je n'aurais jamais cru que ça ferait tant d'argent. Ma vieille Catherine, nous voilà déjà rentiers! Demain, rien à faire!... Et dans un mois, la terre aussi sera vendue, et on ira vivre au village!

Catherine ne disait mot. Elle ramassa les écus, les
15 serra dans l'armoire, rangea la table...

Anselme, tout joyeux de ce beau commencement, alla s'asseoir sur le perron, alluma sa pipe, et reprit:

—Rien à faire, demain! C'est presque pas croyable. Voilà longtemps que ça ne nous est pas arrivé, ma
20 vieille!... Viens t'asseoir ici. On va regarder se coucher le soleil.

Penché sur la forêt, le soleil éclairait de sa lumière oblique les faces ridées et les chevelures grises de ces deux paysans qui abandonnaient la terre.
25 Après un silence:

—Ça m'a fait quelque chose, de voir partir notre vieille charrue, remarque Catherine.

—Elle a rapporté trois piastres, dit Anselme.

—C'est avec elle que tu avais labouré le champ du
30 *sorouêt* pour notre première moisson. Te rappelles-tu? C'était l'année où Jean vint au monde.

—Il y a longtemps de ça.

Catherine reprend:

—Je suis contente que Nez-Blanc ait été achetée par

France Villeneuve. Sa femme est bonne pour les animaux;
elle en aura bien soin.

—Nez-Blanc est une bonne vache.

—C'était la meilleure du troupeau... On aurait peut-
être fait mieux de la garder... 5

—Pourquoi faire? interrompt Anselme. Il eût fallu la
nourrir, la soigner, la traire. Tu as assez travaillé; tu
vas te reposer.

L'homme a laissé s'éteindre sa pipe; la femme, le
menton dans les mains, regarde, sans voir, vers l'horizon. 10

Après quelques instants, Anselme murmure:

—C'est notre voisin Ladouceur qui a acheté la Grise.

—Une bonne bête, dit Catherine.

—Sur la grosse voiture, elle n'a pas sa pareille, malgré
son âge. 15

—Et, pour le labour, il est difficile de tracer plus droit
qu'elle. Elle a ça dans le pied.

—On aurait peut-être pu la garder, dit Anselme à
mi-voix.

—Elle nous a rapporté soixante-quinze piastres, fait 20
remarquer Catherine.

Anselme secoue soudain les cendres de sa pipe:

—Allons nous coucher, dit-il.

Cependant, après la prière, il rôde encore quelque
temps dans la cuisine, rouvre la porte, sort sur le perron, 25
regarde longuement vers les *bâtiments*, où d'ordinaire il
allait, avant la nuit, faire un tour pour voir si tout était
en ordre; il paraît hésiter, puis rentre en murmurant:

—N'importe!... On est rentiers. Demain matin, je
dors jusqu'à sept heures! 30

Le lendemain matin, Anselme s'éveilla à quatre heures.

Le soleil, par grands rayons, entrait dans la chambre.
La première idée d'Anselme fut qu'il était en retard, et
il allait se jeter à bas du lit, quand soudain il se rappela:

il n'avait rien à faire, il pouvait rester au lit, s'il le voulait, toute la grasse matinée. Quelle volupté! Il essaya de dormir. Mais il eut beau se tourner et se retourner, se dire qu'il était rentier, que c'était bien
5 vrai, qu'il n'avait rien à faire, le sommeil ne vint pas. Il ferma les yeux; mais le jour était dans la chambre, et, tout rouge, traversait ses paupières closes. Il voulut ne penser à rien; mais toujours il revoyait la Grise qui s'en allait, la tête basse, emmenée par Ladouceur... Plus
10 moyen de dormir! C'était ennuyeux, à la longue, et fatigant... Il se leva.

—Tu ne dors plus? demanda Catherine.

—Tiens! fit Anselme. Te voilà réveillée!

—Il y a *une belle lurette*, répondit-elle. Je croyais que
15 tu voulais dormir tard; j'avais peur de te déranger.

—Il fait si bon, à matin, dit-il, que j'ai envie de prendre comme qui dirait une gorgée d'air frais.

Anselme s'en fut vers ses bâtiments.

Un coq chantait, au loin; chez le voisin, des bœufs
20 mugissaient... Mais, chez Letiec tout était muet, tout était vide. Pas une poule dans la cour, pas une vache dans le parc, pas un cheval à l'écurie. De temps en temps, un hennissement venait de chez Ladouceur.... C'était peut-être la Grise? peut-être la Grise s'ennuyait-
25 elle?

La porte du poulailler était ouverte... Anselme regarda longtemps la cage déserte et les perchoirs dégarnis, comme s'il y avait eu là quelque chose qu'il n'eût pas compris.

30 Il ne jeta, par la porte, qu'un coup d'œil dans l'étable; c'était si triste, ces stalles inoccupées, ces râteliers et ces mangeoires vides, qu'il n'osa pas entrer.

Dans la grange, du foin était répandu sur le pavé de la batterie... Anselme se prit à chercher dans les coins:

mais il n'y avait ni râteau, ni fourche pour ramasser ces brindilles éparses.

Du *pont* de la grange, on avait vue sur les champs, jusqu'au bois qui fermait l'horizon.

Il semble à Anselme que, ce matin, il voit ses champs et ses prés pour la première fois.

C'est un beau domaine, et qu'ils ont, Catherine et lui, longtemps arrosé de leurs sueurs; pas une motte de terre qu'ils n'aient eux-mêmes tournée et retournée. Ah! ils ont tous deux rudement travaillé; mais la terre le leur a rendu. Que de milliers de bottes de foin, de gerbes de blé, ils ont ensemble récoltées et engrangées!

Et, dans un mois, la terre aussi sera à un autre. . .

Anselme revient, triste, à la maison.

Après le déjeuner, tandis que sa femme remet les choses à leur place, un hennissement lointain vient jusqu'à eux.

—Je vais faire un petit tour chez Ladouceur, dit Anselme.

Catherine regarde son homme s'en aller, et l'on dirait qu'un sourire passe dans ses rides. Puis, la voilà qui dénoue son tablier, met sa coiffe, et prend aussi le grand chemin. . . N'est-ce pas vers la maison de France Villeneuve qu'elle se dirige?

Une heure après, Anselme Letiec revient de chez Ladouceur. Mais qu'est-ce que cela? Il tient une bride, et au bout de la bride il y a la Grise!

Comme il va entrer dans l'étable, il entend la voix de sa femme:

—Range-toi, Nez-Blanc.

Il regarde: Catherine a été chercher Nez-Blanc! Pendant qu'il ramenait la jument, elle a ramené la vache.

Et voici que la Grise, comme à l'accoutumée, entre toute seule dans l'étable, va se ranger à sa place, à côté de Nez-Blanc, et, passant sa bonne tête par-dessus la *barrure*, fait entendre un petit hennissement de joie,
5 pendant que Nez-Blanc rumine, contente. Les deux bêtes marquent, à leur manière, qu'elles sont heureuses de se retrouver, et chez elles.

L'homme et la femme, face à face, se regardaient, embarrassés.
10 Catherine s'expliqua la première:
—J'ai pensé, dit-elle, qu'en attendant qu'on s'en aille au village, on serait bien aise d'avoir du lait. J'ai demandé à France de nous laisser Nez-Blanc pour un mois... D'ailleurs, ça me désennuiera, de la traire et
15 de la soigner.
—Eh! bien, moi, dit Anselme à son tour, il m'est venu dans l'idée que ça ne serait peut-être pas une méchante affaire, si, avant de vendre, je labourais la pièce du nordêt. Ladouceur m'a prêté la Grise pour un mois.
20 —Mais tu n'as point de charrue!
—Faut que je te dise . . . j'en ai emprunté une.
—Mais, après avoir labouré la pièce du nordêt, qu'est-ce que tu feras de la Grise, pendant tout un mois?
Anselme ne sut d'abord quoi répondre.
25 —Il y a toujours de petits charroyages à faire, dit-il enfin. De travailler un peu, ça passera le temps.
—Comme tu voudras, ajouta Catherine.

Labourer une pièce de terre et soigner une vache, il n'y a pas là de quoi occuper longtemps un paysan et une
30 paysanne habitués à travailler du matin au soir.
Chaque jour, l'un ou l'autre inventait une raison pour emprunter une charrette, un outil, un instrument, et s'employer à quelque ouvrage; c'était l'étable à nettoyer,

une *pagée* de clôture à réparer, le jardin à sarcler, et tantôt ceci, et tantôt cela.

Ces occupations passagères n'étaient qu'un leurre; ils n'y prenaient d'ailleurs qu'un intérêt fort mince. Désœuvrés, Anselme et Catherine, comme des âmes en peine, passaient les journées à ne savoir que faire. La vie leur devint bientôt ennuyeuse comme un carême.

Deux semaines, mornes et lentes, se passèrent ainsi. Anselme ne riait plus, et souvent Catherine pleurait dans son tablier, eux dont la vieillesse alerte avait été si gaie. Cependant, ni l'un ni l'autre n'avait encore osé avouer ses regrets.

Un soir que, n'ayant rien fait de la journée, ils sentaient l'oisiveté peser plus lourdement sur leurs épaules, Anselme se décida à parler:

—Catherine, je commence à me demander si la vie de rentiers est faite pour nous autres. On a beau dire et beau faire, on est heureux quand on travaille.

Catherine eut un soupir de soulagement, comme lorsqu'il arrive quelque chose qu'on attendait depuis longtemps et qui tardait à venir. Cependant, elle voulut peut-être s'assurer davantage de ce qui se passait dans la tête de son mari, car elle répondit:

—Mon pauvre Anselme, on ne peut pas dire encore. Dans quinze jours, la terre sera vendue, et on ira vivre au village; peut-être qu'alors ça ira mieux.

—La terre sera vendue, répéta Anselme, la terre sera vendue... Ce n'est pas fait encore. Elle sera vendue, si je veux la vendre!... Tiens! Catherine, veux-tu que je te dise? Eh! bien, j'ai peur qu'on ne le regrette.

—Comme tu le dis, la vente n'est pas faite. On pourrait garder notre bien... Il est vrai qu'on ne serait pas rentiers.

—Mais on resterait ici; on garderait la Grise...

—On garderait Nez-Blanc.

—On pourrait racheter une partie de notre roulant...
Qu'en penses-tu, ma vieille?

5 —Il n'y a pas à dire, répondit-elle, on serait heureux.
On l'était, avant. Vois-tu bien, mon vieux, il y a une
chose à laquelle on n'avait pas pensé: c'est que le bon
Dieu ne nous a pas mis sur la terre pour vivre de nos
rentes.

10 —On aurait dû consulter monsieur le Curé, avant de
rien décider.

—Je suis sûre qu'il nous aurait déconseillés.

—Catherine, m'est avis qu'on a manqué d'*avisoire*,
dans cette affaire-là! Pourquoi abandonner la terre?
15 J'ai encore bon pied, bon œil.

—A la dernière *courvée*, chez les Cormier, il n'y avait
pas une *jeunesse* pour *t'accoter*.

—Achetons un *roulant*! fit Anselme.

—Comme tu voudras, répondit Catherine.

20 Tous deux souriaient, joyeux pour la première fois depuis quinze jours.

De bonne heure, le lendemain, Anselme était rendu
au village.

—Monsieur le notaire, plus besoin de vous occuper
25 de cette histoire de vente: je garde mon bien.

Et il ajouta, par manière d'explication:

—On fatigue trop, à ne rien faire.

ADJUTOR RIVARD
Chez Nos Gens

(By permission of the Executors)

"VIVE LA FRANCE"

La Dernière Classe
Récit d'un Petit Alsacien

Ce matin-là j'étais très en retard pour aller à l'école, et j'avais grand'peur d'être grondé, d'autant plus que M. Hamel nous avait dit qu'il nous interrogerait sur les participes, et je n'en savais pas le premier mot. Un moment l'idée me vint de manquer la classe et de 5 prendre ma course à travers champs.

Le temps était si chaud, si clair.

On entendait les merles siffler à la lisière du bois, et dans le pré Rippert, derrière la scierie, les Prussiens qui faisaient l'exercice. Tout cela me tentait bien plus que 10 la règle des participes; mais j'eus la force de résister, et je courus bien vite vers l'école.

En passant devant la mairie, je vis qu'il y avait du monde arrêté près du petit grillage aux affiches. Depuis deux ans, c'est de là que nous sont venues toutes les 15 mauvaises nouvelles, les batailles perdues, les réquisitions, les ordres de la commandature; et je pensai sans m'arrêter:

«Qu'est-ce qu'il y a encore?»

23

Alors, comme je traversais la place en courant, le forgeron Wachter, qui était là avec son apprenti en train de lire l'affiche, me cria:

— «Ne te dépêche pas tant, petit; tu y arriveras
5 toujours assez tôt à ton école!»

Je crus qu'il se moquait de moi, et j'entrai tout essoufflé dans la petite cour de M. Hamel.

D'ordinaire, au commencement de la classe, il se faisait un grand tapage qu'on entendait jusque dans
10 la rue, les pupitres ouverts, fermés, les leçons qu'on répétait très haut tous ensemble en se bouchant les oreilles pour mieux apprendre, et la grosse règle du maître qui tapait sur les tables:

«Un peu de silence!»

15 Je comptais sur tout ce train pour gagner mon banc sans être vu; mais justement ce jour-là tout était tranquille, comme un matin de dimanche. Par la fenêtre ouverte, je voyais mes camarades déjà rangés à leurs places, et M. Hamel, qui passait et repassait avec la
20 terrible règle en fer sous le bras. Il fallut ouvrir la porte et entrer au milieu de ce grand calme. Vous pensez, si j'étais rouge et si j'avais peur!

Eh bien, non. M. Hamel me regarda sans colère et me dit très doucement:

25 «Va vite à ta place, mon petit Frantz; nous allions commencer sans toi. »

J'enjambai le banc et je m'assis tout de suite à mon pupitre. Alors seulement, un peu remis de ma frayeur, je remarquai que notre maître avait sa belle redingote
30 verte, son jabot plissé fin et la calotte de soie noire brodée qu'il ne mettait que les jours d'inspection ou de distribution de prix. Du reste, toute la classe avait quelque chose d'extraordinaire et de solennel. Mais ce qui me surprit le plus, ce fut de voir au fond de la salle,

sur les bancs qui restaient vides d'habitude, des gens
du village assis et silencieux comme nous, le vieux
Hauser avec son tricorne, l'ancien maire, l'ancien facteur, et puis d'autres personnes encore. Tout ce monde-
là paraissait triste; et Hauser avait apporté un vieil 5
abécédaire mangé aux bords qu'il tenait grand ouvert
sur ses genoux, avec ses grosses lunettes posées en
travers des pages.

Pendant que je m'étonnais de tout cela, M. Hamel
était monté dans sa chaire, et de la même voix douce et 10
grave dont il m'avait reçu, il nous dit:

«Mes enfants, c'est la dernière fois que je vous fais
la classe. L'ordre est venu de Berlin de ne plus enseigner
que l'allemand dans les écoles de l'Alsace et de la
Lorraine... Le nouveau maître arrive demain. Au- 15
jourd'hui c'est votre dernière leçon de français. Je vous
prie d'être bien attentifs.»

Ces quelques paroles me bouleversèrent. Ah! les misérables, voilà ce qu'ils avaient affiché à la mairie.

Ma dernière leçon de français!... 20

Et moi qui savais à peine écrire! Je n'apprendrais
donc jamais! Il faudrait donc en rester là!... Comme
je m'en voulais maintenant du temps perdu, des classes
manquées à courir les nids ou à faire des glissades sur la
Saar! Mes livres que tout à l'heure encore je trouvais si 25
ennuyeux, si lourds à porter, ma grammaire, mon
histoire sainte me semblaient à présent de vieux amis
qui me feraient beaucoup de peine à quitter. C'est
comme M. Hamel. L'idée qu'il allait partir, que je ne le
verrais plus, me faisait oublier les punitions, les coups 30
de règle.

Pauvre homme!

C'est en l'honneur de cette dernière classe qu'il avait
mis ses beaux habits du dimanche, et maintenant je
comprenais pourquoi ces vieux du village étaient venus 35

s'asseoir au bout de la salle. Cela semblait dire qu'ils
regrettaient de ne pas y être venus plus souvent, à cette
école. C'était aussi comme une façon de remercier notre
maître de ses quarante ans de bons services, et de rendre
5 leurs devoirs à la patrie qui s'en allait...

J'en étais là de mes réflexions, quand j'entendis
appeler mon nom. C'était mon tour de réciter. Que
n'aurais-je pas donné pour pouvoir dire tout au long
cette fameuse règle des participes, bien haut, bien clair,
10 sans une faute; mais je m'embrouillai aux premiers
mots, et je restai debout à me balancer dans mon banc,
le cœur gros, sans oser lever la tête. J'entendais M.
Hamel qui me parlait:

«Je ne te gronderai pas, mon petit Frantz, tu dois
15 être assez puni ... voilà ce que c'est. Tous les jours on
se dit: Bah! j'ai bien le temps. J'apprendrai demain.
Et puis tu vois ce qui arrive... Ah! ç'a été le grand
malheur de notre Alsace de toujours remettre son instruction à demain. Maintenant ces gens-là sont en droit
20 de nous dire: Comment! Vous prétendiez être Français,
et vous ne savez ni parler ni écrire votre langue!...
Dans tout ça, mon pauvre Frantz, ce n'est pas encore
toi le plus coupable. Nous avons tous notre bonne part
de reproches à nous faire.

25 «Vos parents n'ont pas assez tenu à vous voir instruits.
Ils aimaient mieux vous envoyer travailler à la terre ou
aux filatures pour avoir quelques sous de plus. Moi-
même, n'ai-je rien à me reprocher? Est-ce que je ne
vous ai pas souvent fait arroser mon jardin au lieu de
30 travailler? Et quand je voulais aller pêcher des truites,
est-ce que je me gênais pour vous donner congé?...

Alors d'une chose à l'autre, M. Hamel se mit à nous
parler de la langue française, disant que c'était la plus
belle langue du monde, la plus claire, la plus solide,
35 qu'il fallait la garder entre nous et ne jamais l'oublier,

parce que, quand un peuple tombe esclave, tant qu'il tient bien sa langue, c'est comme s'il tenait la clef de sa prison... Puis il prit une grammaire et nous lut notre leçon. J'étais étonné de voir comme je comprenais. Tout ce qu'il disait me semblait facile, facile. Je crois 5 aussi que je n'avais jamais si bien écouté, et que lui non plus n'avait jamais mis autant de patience à ses explications. On aurait dit qu'avant de s'en aller le pauvre homme voulait nous donner tout son savoir, nous le faire entrer dans la tête d'un seul coup. 10

La leçon finie, on passa à l'écriture. Pour ce jour-là, M. Hamel nous avait préparé des exemples tout neufs, sur lesquels était écrit en belle ronde: *France*, *Alsace*, *France*, *Alsace*. Cela faisait comme des petits drapeaux qui flottaient tout autour de la classe pendus à la tringle 15 de nos pupitres. Il fallait voir comme chacun s'appliquait, et quel silence! On n'entendait rien que le grincement des plumes sur le papier. Un moment des hannetons entrèrent; mais personne n'y fit attention, pas même les tout petits qui s'appliquaient à tracer leurs *bâtons*, 20 avec un cœur, une conscience, comme si cela encore était du français... Sur la toiture de l'école, des pigeons roucoulaient tout bas, et je me disais en les écoutant:

«Est-ce qu'on ne va pas les obliger à chanter en allemand, eux aussi?» 25

De temps en temps, quand je levais les yeux de dessus ma page, je voyais M. Hamel immobile dans sa chaire et fixant les objets autour de lui, comme s'il avait voulu emporter dans son regard toute sa petite maison d'école... Pensez! depuis quarante ans, il était là à la 30 même place, avec sa cour en face de lui et sa classe toute pareille. Seulement les bancs, les pupitres s'étaient polis, frottés par l'usage; les noyers de la cour avaient grandi, et le houblon qu'il avait planté lui-même enguirlandait maintenant les fenêtres jusqu'au toit. Quel crève-cœur 35

ça devait être pour ce pauvre homme de quitter toutes ces choses, et d'entendre sa sœur qui allait, venait, dans la chambre au-dessus, en train de fermer leurs malles! car ils devaient partir le lendemain, s'en aller du pays
5 pour toujours.

Tout de même il eut le courage de nous faire la classe jusqu'au bout. Après l'écriture, nous eûmes la leçon d'histoire; ensuite les petits chantèrent tous ensemble le BA BE BI BO BU. Là-bas au fond de la salle, le vieux
10 Hauser avait mis ses lunettes, et, tenant son abécédaire à deux mains, il épelait les lettres avec eux. On voyait qu'il s'appliquait lui aussi; sa voix tremblait d'émotion, et c'était si drôle de l'entendre, que nous avions tous envie de rire et de pleurer. Ah! je m'en souviendrai de
15 cette dernière classe. . .

Tout à coup l'horloge de l'église sonna midi, puis l'Angélus. Au même moment, les trompettes des Prussiens qui revenaient de l'exercice éclatèrent sous nos fenêtres. . . M. Hamel se leva, tout pâle, dans sa chaire.
20 Jamais il ne m'avait paru si grand.

«Mes amis, dit-il, mes amis, je . . . je. . . »

Mais quelque chose l'étouffait. Il ne pouvait pas achever sa phrase.

Alors il se tourna vers le tableau, prit un morceau de
25 craie, et, en appuyant de toutes ses forces, il écrivit aussi gros qu'il put:

«VIVE LA FRANCE!»

Puis il resta là, la tête appuyée au mur, et, sans parler, avec sa main il nous faisait signe:
30 «C'est fini . . . allez-vous-en. »

ALPHONSE DAUDET

Contes du lundi

Le Montagnard exilé

Combien j'ai douce souvenance
Du joli lieu de ma naissance!
Ma sœur, qu'ils étaient beaux, les jours
   De France!
O mon pays, sois mes amours   5
   Toujours!

Te souvient-il que notre mère,
Au foyer de notre chaumière
Nous pressait sur son cœur joyeux,
   Ma chère?   10
Et nous baisions ses blancs cheveux,
   Tous deux.

Te souvient-il du lac tranquille
Qu'effleurait l'hirondelle agile?
Du vent qui courbait le roseau   15
   Mobile,
Et du soleil couchant sur l'eau,
   Si beau?

Ma sœur, te souvient-il encore
Du château que baignait la Dore?   20
Et de cette tant vieille tour
   Du Maure,
Où l'airain sonnait le retour
   Du jour?

O! qui me rendra mon Hélène,
Et la montagne, et le grand chêne?
Leur souvenir fait tous les jours
Ma peine.
5 Mon pays sera mes amours
Toujours.

CHATEAUBRIAND

La parfaite valeur est de faire sans témoins ce qu'on serait capable de faire devant tout le monde.

LA ROCHEFOUCAULD

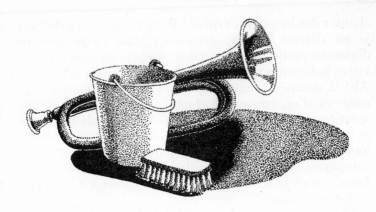

La Conversion du soldat Brommit

L'ORDONNANCE du colonel Parker venait, chaque matin, réveiller l'interprète Aurelle; c'était un vieux soldat trapu et roublard qui, tout en pliant les vêtements avec une adresse incomparable, expliquait au jeune Français, les lois non écrites de l'armée.   5

—Vous savez, monsieur, disait-il, que le soldat britannique doit, en temps de paix, aller à l'église tous les dimanches. Quand vient l'heure du défilé, l'officier de jour commande: «Rassemblement par religions!» et les hommes de l'Église d'Angleterre, les presbytériens, les 10 catholiques, sont conduits en armes aux services.

L'officier surveille un des détachements; dans les autres le plus ancien sous-officier de chaque religion prend la tête. Vous pouvez essayer tout ce que vous voulez: il n'y a pas moyen d'y couper.   15

Quand on a accepté le shilling du Roi, il faut naturellement supporter bien des choses, mais le *Church Parade* est la limite. Ne me prenez pas pour un païen, monsieur, je suis plus croyant que bien d'autres. . .   J'aime assez

31

chanter des hymnes, et quand le vieil homme parle bien, je ne déteste pas les sermons. Mais l'astiquage du dimanche matin me rendait fou. Vous nous avez toujours vus en kaki; vous ne connaissez pas notre tenue d'église...
5 Ah! la damnée tenue! monsieur; c'était éblouissant de rouge et d'or, couvert de buffleteries blanches, et l'inspection, avant le départ, n'est pas une simple formalité, je vous prie de le croire. Je me suis fait retenir quelques jours de paie, le dimanche matin... Bon soldat en
10 campagne, monsieur,—d'ailleurs, vous m'avez vu à Loos,—mais je n'aime pas la vie de caserne, les corvées et les nettoyages.

Depuis longtemps, je me disais: «Brommit, mon ami, vous êtes un âne stupide... Qu'un blanc-bec de deux ou
15 trois ans de service ne trouve pas le moyen d'être dispensé de Church Parade, soit; mais un soldat de quinze ans doit connaître les trucs du métier... Si vous ne pouvez pas vous arranger pour rester au lit tranquillement le dimanche matin, vous n'êtes pas digne de vos
20 chevrons.»

Mais j'avais beau tourner et retourner la chose dans ma tête, je ne trouvais rien. Notre colonel était le vieux W. J. Reid, que nous appelions Slippery Bill, parce qu'il était glissant comme une planche savonnée. C'était un
25 vieux singe qui s'y connaissait en grimaces.

Un jour, on m'appelle au bureau du sergent-major pour signer un papier quelconque, et je vois au mur une pancarte: Classement des hommes par religions. C'était un petit tableau bien propre: «Église d'Angleterre...
30 tant; presbytériens... tant; catholiques... tant.» Mais je me souciais fort peu des nombres. Ce qui me tirait l'œil, c'était une colonne: «Wesleyens... néant.» Et tout d'un coup, je voyais le jeu.

Wesleyens... néant. Donc, pas de sous-officiers wes-
35 leyens pour conduire à l'église des wesleyens éventuels.

Il n'y avait même probablement pas de ministre wesleyen dans la petite ville irlandaise où nous étions casernés. Alors, c'était la pause au lit tous les dimanches matins. Au pis aller, si cette petite religion avait une église, on m'y enverrait tout seul. Mais un détachement composé 5 d'un homme peut toujours utiliser le terrain. Wesleyen, c'était le tuyau.

Un seul scrupule me retenait : je ne savais ce que diable pouvait bien être cette religion de fantaisie. Sans être bigot, je suis bon chrétien et je n'aurais pas voulu me 10 faire passer pour un idiot... De plus, ça devait être une affaire assez sérieuse dans l'armée, un changement de religion. J'aurais probablement à voir le vieux Bill lui-même, et Bill n'était pas de ces gens que l'on peut aller trouver avec un boniment à moitié cuit. 15

Impossible de me renseigner au régiment. C'était attirer l'attention sur moi au mauvais moment. Mais j'avais en ville une girl qui connaissait des gens très instruits et je la chargeai d'ouvrir une enquête.

Elle m'apporta des renseignements excellents. J'avais 20 trouvé là une religion très convenable, tout à fait ce qu'il me fallait. Vous savez naturellement ce que c'était que Wesley, monsieur? Un fellow qui trouvait que les évê- ques et les chapelains de son temps n'observaient pas les règlements de l'Évangile. Il prêchait le retour à la pau- 25 vreté, à l'humilité, à la douceur envers le prochain! Vous comprenez si l'Église d'Angleterre en était malade... *Well*, en somme, c'est une honnête croyance et un brave homme comme moi pouvait y avoir été pris sans que cela parût trop invraisemblable. 30

Quand je me vis bien remonté et excité sur mon Wesley, je sentis qu'une petite entrevue avec Bill ne m'effrayait plus. J'allai trouver le sergent-major et lui dis que je voulais parler au colonel.

—Au sujet de quoi? 35

—Affaire personnelle, sir.

Il aurait bien voulu me tirer mon histoire à l'avance, mais je ne pouvais réussir qu'en attaquant Bill par surprise, et je gardai le secret sur mon offensive.

5 —Brommit, dit le vieux, assez aimable, vous avez une réclamation à faire?

—Pas de réclamation, monsieur, tout est correct. Mais j'ai demandé à vous parler parce que je voulais vous dire, monsieur, que je désire changer de religion.

10 Je vis que, pour une fois, j'avais épaté Bill.

—Changer de religion? dit-il. Qu'est-ce que c'est que cette histoire-là? Avez-vous jamais entendu cela, sergent-major? De quelle religion êtes-vous donc?

—Église d'Angleterre, monsieur, mais je voudrais, à
15 l'avenir, être inscrit comme wesleyen.

—Mais qu'est-ce qui vous a fourré cette idée-là dans la tête, mon garçon? Est-ce que le Padre vous a offensé?. . . Ou quoi?

—Oh! non, monsieur . . . pas du tout; au contraire,
20 M. Morrisson a toujours été très aimable pour moi. . . Ce n'est pas cela, mais j'ai cessé de croire à l'Église d'Angleterre, voilà tout.

—Vous ne croyez plus?. . . A quoi ne croyez-vous plus? Qu'est-ce que vous y connaissez en matière de
25 dogme?

—Oh! monsieur. . . , bien des choses. . . Par exemple, les évêques, je n'approuve pas leurs façons de vivre, monsieur.

—*By Jove*, sergent-major, vous entendez ce damné
30 idiot? Il n'approuve pas la façon de vivre des évêques! Où avez-vous jamais observé les mœurs des évêques, Brommit?

—Wesley était un homme splendide, monsieur. . .

Et je commence à lui débiter, sans le laisser parler,

tout ce que la girl avait pu picorer; vous pensez si, au bout de cinq minutes, il en avait plein le dos. Il aurait bien voulu me museler, mais il ne le pouvait qu'en m'accordant ce que je lui demandais. J'étais irréprochable: j'avais des scrupules, je pensais trop. On ne peut pas punir un homme parce qu'il pense trop. Le vieux savait son métier aussi bien que moi le mien.

Il vit tout de suite qu'il n'avait qu'un chemin à suivre.

—Ça va bien, me dit-il. Après tout, cela vous regarde, mon garçon. . . Sergent-major, vous l'inscrirez comme wesleyen. . .

—Brommit, vous reviendrez à mon bureau vendredi soir. . . Je vais m'arranger avec le ministre wesleyen pour que vous puissiez suivre les offices. . . Vous savez naturellement où il demeure?

—Non, monsieur, je ne le connais pas.

—Étrange, étrange. Mais cela ne fait rien, je le trouverai; revenez vendredi, Brommit.

Sacré vieux Bill! Il avait du service. Le vendredi soir, quand je me présentai:

—Ah! pour vous, mon garçon, c'est arrangé, me dit-il. J'ai vu le ministre wesleyen, le Révérend Short. . . Charmant homme. Il est convenu avec lui que vous irez aux services le dimanche matin, à neuf heures, et le dimanche soir, à six heures. . . Oui, deux services par jour: religion très stricte, le wesleyanisme. Naturellement, si vous manquiez un service, le Révérend Short aurait l'obligeance de m'en prévenir et, de mon côté, je prendrais les mesures nécessaires. Mais je ne sais pas pourquoi je vous dis cela. Un homme qui prend la peine de changer de religion, à l'âge de trente ans, n'est pas prêt de manquer à l'église. Allez, ça va bien, mon garçon.

Slippery Bill, va!... Le dimanche suivant, j'allai à l'Église du Révérend Short. C'était un grand type mai-

gre, au visage méchant, qui nous fit un sermon terrible
sur notre vie qu'il fallait réformer, sur toutes les choses
auxquelles nous devions renoncer en ce monde et sur le
terrible brasier qui nous attendait dans l'autre, si nous
5 ne suivions pas ses conseils. Après le service, M. Short
vint à moi et me pria de rester après les autres. Jusqu'à
midi, monsieur, il me harangua sur les obligations que
m'imposait ma nouvelle foi, sur mes lectures, sur mes
fréquentations. Quand je sortis de là, j'étais comme
10 hébété; et il fallait y retourner le soir.

Ce fut ainsi tous les dimanches. Je passais mes semaines à jurer, envoyant Short et Wesley à la plus
chaude place du monde. J'essayai une fois de ne pas
aller à l'église: le méchant chien me signala au colonel
15 qui me priva de paie pour huit jours. Puis, cette congrégation de malheur inventa des conférences du vendredi
soir et, avec l'autorisation du colonel, le soldat converti
en fut le plus bel ornement.

Ma patience fut mise à bout, un mois après, quand
20 Short se permit de me faire des reproches personnels sur
cette girl que je fréquentais. Je devins furieux et décidé
à tout, même à affronter à nouveau Bill, plutôt que de
subir les discours de ce maniaque.

—Monsieur, dis-je au colonel, je suis fâché de vous
25 ennuyer encore une fois avec ma religion, mais ce wesleyanisme ne me satisfait pas du tout. Ce n'est pas ce
que j'avais espéré.

Je m'attendais à être «strafé» vigoureusement, mais
pas du tout. Bill me regardait avec un bon sourire.
30   —*That's all right*, Brommit, dit-il, le gouvernement
me paie pour m'inquiéter de la santé morale de mes
hommes... Et puis-je savoir quelle religion établie a
maintenant la faveur de votre adhésion?

—Eh bien! monsieur, je n'en vois aucune... Je me

suis fait une espèce de religion à moi . . . si vous le permettez, naturellement.

—Moi! Mais cela ne me regarde pas, mon garçon. Au contraire, j'admire votre activité d'esprit. Vous avez vos croyances à vous, c'est très bien. Elles ne comportent pas 5 l'obligation d'aller le dimanche dans un lieu de prières public . . . et voilà tout. . . Je traduis votre pensée, n'est-ce pas?

—Oui, monsieur, tout à fait bien.

—Cela tombe admirablement, Brommit. Voilà long- 10 temps que je cherchais quelqu'un pour faire laver les escaliers à fond, le dimanche, pendant que les hommes sont à l'église. . . Sergent-major, vous inscrirez Brommit comme agnostique: de corvée permanente d'escalier, le dimanche matin. 15

ANDRÉ MAUROIS

Les Discours du Docteur O'Grady

(By permission of Éditions Bernard Grasset)

Après la Bataille

Mon père, ce héros au sourire si doux,
Suivi d'un seul housard, qu'il aimait entre tous
Pour sa grande bravoure et pour sa haute taille,
Parcourait à cheval, le soir d'une bataille,
5   Le champ couvert de morts sur qui tombait la nuit.
Il lui sembla dans l'ombre entendre un faible bruit.
C'était un Espagnol de l'armée en déroute
Qui se traînait sanglant sur le bord de la route,
Râlant, brisé, livide, et mort plus qu'à moitié,
10   Et qui disait: «A boire, à boire par pitié!»
Mon père, ému, tendit à son housard fidèle
Une gourde de rhum qui pendait à sa selle,
Et dit: «Tiens! donne à boire à ce pauvre blessé.»
Tout à coup, au moment où le housard baissé
15   Se penchait vers lui, l'homme, une espèce de Maure,
Saisit un pistolet qu'il étreignait encore,
Et vise au front mon père en criant: «Caramba!»
Le coup passa si près que le chapeau tomba
Et que le cheval fit un écart en arrière.
20   «Donne-lui tout de même à boire,» dit mon père.

VICTOR HUGO

Les Pains noirs

En ce temps-là, Nicolas Nerli était banquier dans la noble ville de Florence. Quand sonnait tierce, il était assis à son pupitre, et quand sonnait none, il y était assis encore, et il y faisait tout le jour des chiffres sur ses tablettes. Il prêtait de l'argent à l'Empereur et au Pape. Et, s'il n'en prêtait pas au diable, c'est qu'il craignait de faire de mauvaises affaires avec celui qu'on nomme le Malin, et qui abonde en ruses. Nicolas Nerli était audacieux et défiant. Il avait acquis de grandes richesses et dépouillé beaucoup de gens. C'est pourquoi il était honoré dans la ville de Florence. Il habitait un palais où la lumière que Dieu créa n'entrait que par des fenêtres étroites; et c'était prudence, car le logis du riche doit être comme une citadelle, et ceux qui possèdent de grands biens font sagement de défendre par force ce qu'ils ont acquis par ruse.

Donc, le palais de Nicolas Nerli était muni de grilles et de chaînes. Au dedans, les murs étaient peints par d'habiles ouvriers qui y avaient représenté les Vertus sous

39

l'apparence de femmes, les patriarches, les prophètes et les rois d'Israël. Des tapisseries, tendues dans les chambres, offraient aux yeux les histoires d'Alexandre et de Tristan, telles qu'elles sont contées dans les romans.

5 Nicolas Nerli faisait éclater sa richesse, dans la ville, par des fondations pieuses. Il avait élevé hors les murs un hôpital dont la frise, sculptée et peinte, représentait les actions les plus honorables de sa vie; en reconnaissance des sommes d'argent qu'il avait données pour l'achè-
10 vement de Sainte-Marie-Nouvelle, son portrait était suspendu dans le chœur de cette église. On l'y voyait agenouillé, les mains jointes, aux pieds de la très sainte Vierge. Et il était reconnaissable à son bonnet de laine rouge, à sa huque fourrée, à son visage noyé de graisse
15 jaune et à ses petits yeux vifs. Sa bonne femme, Monna Bismantova, l'air honnête et triste, se tenait de l'autre côté de la Vierge, dans l'humble attitude de la prière. Cet homme était un des premiers citoyens de la République; comme il n'avait jamais parlé contre les lois,
20 et parce qu'il n'avait point souci des pauvres ni de ceux que les puissants du jour condamnent à l'amende et à l'exil, rien n'avait diminué dans l'opinion des magistrats l'estime qu'il s'était acquise à leurs yeux par sa grande richesse.

25 Rentrant, un soir d'hiver, plus tard que de coutume dans son palais, il fut entouré, au seuil de sa porte, par une troupe de mendiants à demi nus qui tendaient la main.

Il les écarta par de dures paroles. Mais la faim les
30 rendait farouches et hardis comme des loups. Ils se formèrent en cercle autour de lui et lui demandèrent du pain d'une voix plaintive et rauque. Il se baissait déjà pour ramasser des pierres et les leur jeter, quand il vit venir un de ses serviteurs qui portait sur sa tête une cor-

beille de pains noirs, destinés aux hommes de l'écurie,
de la cuisine et des jardins.

Il fit signe au panetier d'approcher et, puisant à pleines
mains dans la corbeille, il jeta les pains aux misérables.
Puis, rentré en sa maison, il se coucha et s'endormit. 5
Dans son sommeil, il fut frappé d'apoplexie et mourut si
soudainement qu'il se croyait encore dans son lit quand
il vit, en un lieu «muet de toute lumière», saint Michel
illuminé d'une clarté sortie de son corps.

L'archange, ses balances à la main, chargeait les pla- 10
teaux. Reconnaissant dans le côté le plus lourd les
joyaux des veuves qu'il gardait en gage, la multitude de
rognures d'écus qu'il avait indûment retenues, et certaines pièces d'or très belles, que lui seul possédait, les
ayant acquises par usure ou par fraude, Nicolas Nerli 15
connut que c'était sa vie, désormais accomplie, que saint
Michel pesait en ce moment devant lui. Il devint attentif
et soucieux.

—Messer san Michele, dit-il, si vous mettez d'un côté
tout le gain que j'ai fait dans ma vie, placez de l'autre, 20
s'il vous plaît, les belles fondations par lesquelles j'ai
manifesté magnifiquement ma piété. N'oubliez ni le
dôme de Sainte-Marie-Nouvelle, auquel j'ai contribué
pour un bon tiers; ni mon hôpital hors les murs, que j'ai
bâti tout entier de mes deniers. 25

—N'ayez crainte, Nicolas Nerli, répondit l'Archange.
Je n'oublierai rien.

Et de ses mains glorieuses il posa dans le plateau le
plus léger le dôme de Sainte-Marie et l'hôpital avec sa
frise sculptée et peinte. Mais le plateau ne s'abaissa 30
point.

Le banquier en conçut une vive inquiétude.

—Messer san Michele, reprit-il, cherchez bien encore.
Vous n'avez mis de ce côté de la balance ni mon beau

bénitier de Saint-Jean, ni la chaire de Saint-André, où le baptême de Notre-Seigneur Jésus-Christ est représenté au naturel. C'est un ouvrage qui m'a coûté fort cher.

L'Archange mit la chaire et le bénitier par-dessus l'hô-
5 pital dans le plateau qui ne descendit point. Nicolas Nerli commença de sentir son front inondé d'une sueur froide.

—Messer Archange, demanda-t-il, êtes-vous sûr que vos balances sont justes?

10 Saint Michel répondit en souriant que, pour n'être point sur le modèle des balances dont usent les lombards de Paris et les changeurs de Venise, elles ne manquaient nullement d'exactitude.

—Quoi! soupira Nicolas Nerli tout blême, ce dôme,
15 cette chaire, cette cuve, cet hôpital avec tous ses lits, ne pèsent donc pas plus qu'un fétu de paille, qu'un duvet d'oiseau!

—Vous le voyez, Nicolas, dit l'Archange, et jusqu'ici le poids de vos iniquités l'emporte de beaucoup sur le
20 faix léger de vos bonnes œuvres.

—Je vais donc aller en enfer, dit le Florentin.

Et ses dents claquaient d'épouvante.

—Patience, Nicolas Nerli, reprit le peseur céleste, patience! nous n'avons pas fini. Il nous reste ceci.

25 Et le bienheureux Michel prit les pains noirs que le riche avait jetés la veille aux pauvres. Il les mit dans le plateau des bonnes œuvres qui descendit soudain, tandis que l'autre remontait, et les deux plateaux restèrent de niveau.   Le fléau ne penchait plus ni à droite ni à gauche
30 et l'aiguille marquait l'égalité parfaite des deux poids.

Le banquier n'en croyait pas ses yeux.

Le glorieux Archange lui dit:

—Tu le vois, Nicolas Nerli, tu n'es bon ni pour le ciel ni pour l'enfer. Va! retourne à Florence! multiplie dans

ta ville ces pains que tu as donnés de ta main, la nuit, sans
que personne ne te vît; et tu seras sauvé. Car ce n'est
pas assez que le ciel s'ouvre au larron qui se repentit et à
la prostituée qui pleura. La miséricorde de Dieu est
infinie: elle sauvera même un riche. Sois celui-là. Mul- 5
tiplie les pains dont tu vois le poids dans mes balances.
Va!

Nicolas Nerli se réveilla dans son lit. Il résolut de
suivre le conseil de l'Archange et de multiplier le pain des
pauvres pour entrer dans le royaume des cieux. 10

Pendant les trois années qu'il passa sur la terre après
sa première mort, il fut pitoyable aux malheureux et
grand aumônier.

ANATOLE FRANCE
Le Puits de Sainte Claire
(By permission of Calmann-Lévy, Éditeurs)

Le Savetier et le financier

Un savetier chantait du matin jusqu'au soir;
C'était merveille de le voir,
Merveille de l'ouïr; il faisait des passages,
Plus content qu'aucun des sept sages.
Son voisin, au contraire, étant tout cousu d'or,
Chantait peu, dormait moins encor;
C'était un homme de finance.
Si, sur le point du jour, parfois il sommeillait,
Le savetier alors en chantant l'éveillait;
10 Et le financier se plaignait
Que les soins de la Providence
N'eussent pas au marché fait vendre le dormir,
Comme le manger et le boire.
En son hôtel il fit venir
15 Le chanteur, et lui dit: «Or çà, sire Grégoire,
Que gagnez-vous par an?» — «Par an, ma foi, monsieur,»
Dit avec un ton de rieur
Le gaillard savetier, «ce n'est point ma manière
De compter de la sorte, et je n'entasse guère
20 Un jour sur l'autre: il suffit qu'à la fin
J'attrape le bout de l'année:
Chaque jour amène son pain.»
«Eh bien! que gagnez-vous, dites-moi, par journée?»
«Tantôt plus, tantôt moins: le mal est que toujours
25 (Et sans cela nos gains seraient assez honnêtes),
Le mal est que dans l'an s'entremêlent des jours
Qu'il faut chômer; on nous ruine en fêtes;
L'une fait tort à l'autre; et monsieur le curé
De quelque nouveau saint charge toujours son prône.»
30 Le financier, riant de sa naïveté,
Lui dit: «Je vous veux mettre aujourd'hui sur le trône.

Prenez ces cent écus: gardez-les avec soin,
      Pour vous en servir au besoin. »
Le savetier crut voir tout l'argent que la terre
      Avait, depuis plus de cent ans,
      Produit pour l'usage des gens.   5
Il retourne chez lui: dans sa cave il enserre
      L'argent, et sa joie à la fois.
      Plus de chant; il perdit la voix
Du moment qu'il gagna ce qui cause nos peines.
      Le sommeil quitta son logis;   10
      Il eut pour hôtes les soucis,
      Les soupçons, les alarmes vaines.
Tout le jour il avait l'œil au guet; et la nuit,
      Si quelque chat faisait du bruit,
Le chat prenait l'argent. A la fin, le pauvre homme   15
S'en courut chez celui qu'il ne réveillait plus:
«Rendez-moi, » lui dit-il, «mes chansons et mon somme,
      Et reprenez vos cent écus. »

LA FONTAINE

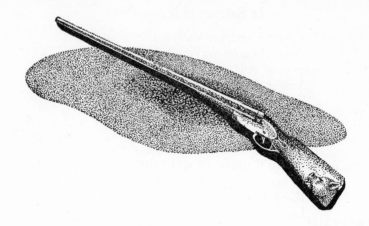

Propos de chasse

C EPENDANT la pluie tombait toujours.

Par la petite fenêtre du pavillon de chasse on apercevait à peine, comme au travers d'un fin treillis, la ligne indécise des futaies. Plus près, c'étaient des 5 labours noyés, des fossés remplis de boue jaune.

Il y eut un moment de silence pendant lequel s'entendit plus distinctement le bruit des gouttes tambourinant sur la toiture et sur les vitres. Mais un fagot jeté en travers de la cheminée éclaira soudain l'étroit 10 réduit. La gaieté revint; des pipes furent bourrées; et trois chasseurs, tout en regardant, les pieds au feu, le brouillard qui montait de leurs semelles mouillées— trois chasseurs parisiens recommencèrent à improviser des histoires de chasseurs.

15 —... Il m'est arrivé presque aussi fort, affirma le garde lorsque tout le monde eut parlé, oui, presque aussi fort, avec un lièvre. Quel lièvre! Je le vois encore. En le posant tout fumant sur la grande table, Madeleine s'était écriée: «Mon Dieu, qu'il est lourd!» Et quand 20 mon oncle—le ciel ait son âme—essaya de le découper,

il sentit une résistance sous le couteau. . . . Mais non, mieux vaut m'arrêter là; si je disais la suite vous me prendriez pour un Marseillais.

Des gestes expressifs témoignèrent combien un tel soupçon était loin de la pensée de tous, et le brave Gogu, 5 qui n'est pas Marseillais, le sort l'ayant fait naître à Soisy-sur-Yvette, cala sa chaise, sourit dans sa moustache, et continua:

—Donc, ainsi que j'avais l'honneur de vous en faire le rapport, mon oncle sentit sous le couteau quelque 10 chose qui résistait. Qu'a-t-il donc dans le ventre, cet animal? . . . Il force, le couteau pénètre; et mon lièvre, s'ouvrant les reins cassés, laisse échapper, au milieu de la bonne odeur, une, dix, vingt pièces d'or qui couraient, roulaient, se poursuivaient et se cognaient sur la faïence. 15

—Étonnant, Gogu, ce que vous nous racontez là!

—Au contraire, rien de plus simple!

J'avais alors douze ans, et ce jour-là j'accompagnais M. le marquis. Brave homme, ce marquis: un peu maniaque, pas mal avare, bref! tout à fait d'ancien régime. 20 Mes parents étaient ses fermiers. Quand j'eus quitté l'école, il m'éleva aux fonctions de page, me faisant porter son carnier, graisser ses bottes, et me payant en vieux habits.

On le disait très riche, quoiqu'il habitât seul une 25 espèce de tour restée debout par miracle au milieu des plâtras du vieux château. Tous les mois, régulièrement, il allait à la ville pour voir son homme d'affaires et toucher ses fonds. Par exemple, personne n'avait jamais vu le marquis rapporter de là ni sac ni bourse. Où diable 30 le marquis fourrait-il son argent?

Un soir, les fonds touchés, nous nous en revenions à travers bois, par le pavé, le marquis devant, moi derrière, lui sur son cheval, moi dans mes sabots, admirant un superbe fusil qu'il gardait constamment en bandoulière. 35

Déjà vicieux au point de vue des armes et de la chasse, j'aurais donné je ne sais quoi pour manier un peu ce fusil qui avait des dessins en argent sur le canon et une tête de sanglier sculptée sur la crosse. Mais le marquis
5 ne le quittait jamais: «Il dort avec!» disaient les paysans.

Si seulement j'avais pu entendre le bruit que ce beau fusil faisait en partant! Mais le marquis semblait avoir peur de s'en servir.

Souvent, très souvent même—le pays était alors ex-
10 traordinairement giboyeux—nous rencontrions un lapin, des perdrix, des cailles. Alors, le marquis épaulait, ajustait...et ne tirait pas. J'avais beau me creuser la cervelle, je ne comprenais rien du tout à la conduite du marquis.

15 D'ordinaire on faisait le voyage, aller et retour, entre le lever et le coucher du soleil. La fois dont il s'agit, le cheval s'étant déferré, nous nous trouvâmes, à la nuit close, juste à moitié chemin de la ville et du château. Les chouettes poussaient leurs cris dans le noir, le vent
20 faisait gesticuler les branches, et le marquis déclara la route peu sûre.

—Pourtant avec votre fusil?...

—Tais-toi, gamin, on a vu des voleurs qui volent les fusils!

25 Il fut décidé que nous nous arrêterions au *Logis du Vieil Ane Rouge*, chez le frère de ma mère, braconnier de son état, et qui, à ses moments perdus, tenait auberge pour les rouliers égarés.

Vu le délabrement des chambres, il fallut dormir à la
30 cuisine, sous la cheminée, le marquis dans un fauteuil, moi sur un escabeau.

Un peu passé minuit, mon oncle entra avec sa canardière et, me voyant les yeux ouverts:

—Petit, veux-tu que je t'apprenne comment on tue
35 un lièvre au gîte?

Si je voulais! Seulement je n'avais pas de fusil et mon oncle n'en possédait pas de rechange.

—Prends celui du marquis, ça le dérouillera. Après, nous le rechargerons, et ni vu ni connu, personne ne s'apercevra de rien!

La tentation était trop forte: le marquis ronflait, le fusil brillait, je pris le fusil.

Nous voilà sur la route, au clair de lune; puis dans un taillis, puis sur un plateau garni d'un gazon ras, où se dressaient des pieds de fougères.

—Attention, la bête est là.

La bête veillait apparemment; j'entendis des herbes s'agiter, je vis passer l'ombre de deux oreilles, nos coups de fusil partirent à la fois.

—Maladroit! dit mon oncle en ramassant le lièvre, tu seras cause de la mort d'un chêne: ta charge vient d'atteindre en plein ce baliveau.

Humilié, je n'osai rien dire; il me semblait bien pourtant avoir visé droit.

Le fusil rechargé avait repris sa place, et le lièvre tournait en broche quand, sur la pointe de huit heures, M. le marquis se réveilla. Le marquis devint tout joyeux à l'idée de manger du lièvre.

Je croyais tout sauvé lorsqu'on s'assit pour déjeuner.

Malheureusement mon oncle, rendu bavard et familier par la bonne humeur du marquis, ne put s'empêcher de me taquiner à l'apparition du rôti sur la table. Tout en découpant, il recommença ses plaisanteries sur le chêne que j'avais tué. Il raconta mon aventure.

—Comment, sartibois! tu as tiré?... Tu as tiré avec mon fusil? disait le marquis devenu tout pâle.

—Tiré et manqué, monsieur le marquis!

—Ah! brigand, révolutionnaire! Mais il y avait vingt-cinq louis, vingt-cinq louis d'or, dans le canon par-dessus la charge!

Voilà: le canon du fusil servait au bonhomme de bourse et de cachette pendant ses voyages. En moins d'une seconde je devinai tout. Je m'expliquai la gifle extraordinaire que m'avait donnée le recul. Je me rap-
5 pelai que, le coup partant, une grêle d'or m'avait paru s'éparpiller dans le clair de lune. Et, n'espérant pas le pardon d'un tel crime, je regardais déjà du côté de la porte, résolu à laisser mes remords et ma vie au fond du premier étang que je rencontrerais.
10 La voix de mon oncle me retint, mêlée à un cliquetis de louis d'or dégringolant sur de la faïence.

—C'est donc ça que le lièvre était si dur? Allons, il n'y a pas trop de mal!

Et il ajoutait en riant:
15 —Appelez-moi mazette, monsieur le marquis, c'est lui décidément qui avait touché le lièvre. . . . Cinq cents francs en louis d'or! Un joli coup de fusil: les rois n'en tirent pas souvent de pareils.

Effectivement, vous me croirez si vous voulez, le coup
20 avait presque fait balle, et tous les louis furent retrouvés l'un après l'autre, à mesure que nous mangions, un peu enfumés, mais intacts et en bon état.

—Tous, Gogu, sans exception?

—L'arrière-train en était farci, les côtes, les cuisses,
25 le gras du râble. Deux s'étaient fourrés dans la tête. . . .

—Retrouvés tous les vingt-cinq?

—N'exagérons rien! A dire la vraie vérité, il manqua un louis à l'appel, un seul dont on n'eut jamais de nouvelles et que le marquis retint sur mes gages.
30 Mais assez causé: la pluie cesse; le soleil a l'air de vouloir reparaître; en attendant que la terre sèche, on pourra toujours tirer quelques lapins à la lisière des taillis.

PAUL ARÈNE
Contes de Paris et de Provence
(By permission of Librairie Alphonse Lemerre)

Le Cas étrange de M. Bonneval

CE jour-là, pas plus que les précédents, M. Bonneval n'avait présenté de symptôme inquiétant. Il s'était levé le matin fort gaillard, avait travaillé à son bureau comme à l'ordinaire et venait de se mettre à table avec appétit. Rien ne faisait prévoir l'infirmité terrible qui 5 le menaçait et dont les premières atteintes se manifestèrent brusquement vers midi et demi, au milieu du repas, de la manière qu'on va voir.

Son fils cadet, Riri, lui ayant demandé: «Dis, papa, quand donc tu achèteras mon bateau?» M. Bonneval 10 lui répondit en montrant le plat: «Tu vois bien que ce n'est pas un gâteau, c'est un ragoût de mouton.»

Mme Bonneval regarda son mari avec étonnement. Elle avait parfaitement compris la requête de Riri, dont la prononciation était nette et la voix perçante. 15

—Tu as sans doute du coton dans les oreilles? demanda-t-elle, car M. Bonneval, pendant l'hiver, recourait parfois à cet expédient pour se prémunir contre les rhumes.

Pas de réponse.

Elle répéta sa question. Même silence.

—Georges, est-ce que tu m'entends?

—Papa, maman te parle!

5 L'interpellé, fort occupé dans son assiette, leva tout d'un coup la tête pour observer en riant:

—Ah çà, vous avez donc tous avalé votre langue? Ne parlez pas tous à la fois!

—Mon Dieu, il est sourd! s'écria douloureusement 10 Mme Bonneval. Georges, réponds, es-tu sourd?

—C'est épouvantable, constata son mari. Vous me parlez et je n'entends pas!

On recommença méthodiquement les expériences. Gertrude, accourue de la cuisine, fit elle-même un essai. 15 M. Bonneval mettait la main en cornet, secouait le lobe de son oreille, s'enfonçait le petit doigt dans le conduit auditif . . . peine perdue!

Sa femme écrivit alors quelques mots sur un papier. Le malheureux ajusta ses lorgnons et lut: «Il faut con-20 sulter un spécialiste.»

—J'irai demain chez le docteur Lanoix, déclara-t-il.

Et il écrivit en dessous: «Rassure-toi, je ne suis pas sourd.»

Tandis que la consternation régnait dans l'immeuble 25 et que l'on discutait jusque chez la concierge, le cas étrange de M. Bonneval, celui-ci, retiré dans sa chambre, exposait tranquillement à sa femme les motifs secrets d'une conduite aussi extraordinaire. Certes, il n'avait songé d'abord qu'à jouer le rôle d'un Œdipe qui se 30 serait crevé les oreilles; mais, avec sa prodigieuse fécondité d'imagination, il n'avait pas tardé à entrevoir tout le parti qu'on pouvait tirer de cette infirmité.

—C'est un moyen simple et commode, disait-il, pour couper court aux exigences de Riri, et ce n'est pas, 35 comme tu pourrais le croire, une fantaisie qui m'a passé par la tête, mais le premier essai d'une méthode longuement mûrie par la réflexion.

J'ai toujours été frappé par la facilité de l'éducation jusqu'à la deuxième année, c'est-à-dire tant que nous nous contentons de faire de l'élevage. Tous les maux viennent avec la parole. Dès qu'il peut parler, l'enfant devient insupportable: il raisonne, il discute, il ment, il tyrannise. . . .

—Tout le monde ne peut avoir des enfants sourds-muets, fit sagement observer Mme Bonneval.

—Non, mais pourquoi cette folie de leur fournir un instrument d'indépendance et de révolte? On entend des parents se plaindre du retard d'un enfant, dans l'impatience où ils sont qu'il sache articuler une plainte ou un refus. Certains, non contents d'enseigner aux marmots leur langue maternelle, y joignent des idiomes étrangers. Ils ont peur que leurs fils manquent de ressources pour exprimer des volontés dont on est résolu d'avance à ne pas tenir compte. Car, enfin, n'est-il pas admis qu'un enfant bien élevé ne doit avoir d'autres volontés que celles de ses parents, lesquels sont les seuls juges de ses besoins et les seuls maîtres de sa conduite? A quoi lui servira donc de pouvoir donner son avis? S'il est conforme aux désirs paternels, c'est inutile, et s'il est contraire, c'est nuisible. Je m'en veux tous les jours d'avoir laissé apprendre le français à Riri et à Toto. Les mots étant nécessaires à la discussion, je soutiens, que sans langage, il n'y aurait point de querelles et que si les chiens pouvaient parler, ils ne resteraient pas longtemps les amis de l'homme.

—Qu'y faire? soupira Mme Bonneval, ébranlée par la nouveauté de ces aperçus. Nous avons suivi la coutume, qui est d'apprendre à parler aux enfants. Maintenant, le mal est sans remède!

—C'est à savoir. Considère bien que le don de la

parole n'est utilisable et efficace qu'autant qu'on trouve
à qui parler. L'homme ne discute pas avec les choses;
il les subit. Robinson, dans son île, avait perdu l'usage
de l'anglais. . .

5   —Tu ne vas pas débarquer Toto et Riri dans une
île déserte.

—Non, mais l'isolement peut être obtenu artificiellement par des procédés extrêmement simples. Tu as vu
tout à l'heure que Riri ne s'est pas obstiné contre ma
10 surdité. C'est un obstacle matériel contre lequel il se
reconnaissait impuissant. Tandis que si je lui avais
opposé un refus motivé, il aurait gardé l'espoir de me
faire changer d'avis.

Suppose que tu deviennes sourde, toi aussi, et que
15 nous prenions une bonne tchécoslovaque. . .

—Tu veux renvoyer Gertrude?

—Nous lui donnerons un mois de vacances et nous
ferons l'intérim avec une femme de ménage alsacienne.
Dans un mois, le pli sera pris; une surdité morale pourra
20 peu à peu se substituer à l'autre. . . .

Un papa sourd a bien des avantages: on peut jouer
à la guerre dans l'appartement, battre le tambour,
tirer des amorces et pousser des cris de sauvages sans
crainte de le troubler dans son repos ou dans son travail.
25 Mais quand, par surcroît, on bénéficie d'une maman
dure d'oreille, c'est une bénédiction du ciel. Tel était
justement le cas des petits Bonneval, depuis que leur
père, à son lever, les avait reçus avec cette recommandation: «Ne m'embrassez pas, mes enfants, ça se prend
30 comme la grippe. Votre maman est devenue sourde par
contagion.» Et, en effet, Mme Bonneval n'entendait
pas plus qu'un pot.

Les enfants purent donc, ce jour-là, parler à table

tout leur saoûl sans être interrompus ni morigénés. C'était aux grandes personnes maintenant de se taire. Quelle revanche des contraintes antérieures! Restait bien, il est vrai, la censure optique, mais la liberté de la parole, c'est déjà la moitié de l'indépendance. Un tel avantage peut bien se payer par l'inconvénient de ne rien pouvoir demander à ses parents.

Encore y a-t-il avec les sourds des accommodements. C'est ainsi que Riri présenta à son père un placet rédigé par Toto en ces termes:

—Quan dont que tu achetra mon batau?

Heureusement que M. Bonneval était myope; il feignit de ne pas trouver son lorgnon et s'en tira par une cécité momentanée; incident qui suggéra cette réflexion à Toto:

—C'est ça qui serait chic si on avait des parents aveugles.

—Oui, approuva Riri, c'est nous qui leur donnerions à manger!

—Nous nous servirions nous-mêmes. . . .

—Et je prendrais de la sauce tant que je voudrais!

Les parents n'étaient pas sans éprouver quelque honte à surprendre par fraude le babil de leurs enfants. C'était le scrupule d'un honnête homme réduit par nécessité à écouter aux portes. Mais des révélations inattendues changèrent vite cette gêne en stupeur.

En cinq minutes, ils en apprirent plus sur les fredaines de Toto et de Riri qu'en cinq années d'étroite surveillance. Les coupables se démasquaient eux-mêmes avec la confiance que donne la sécurité.

On découvrit ainsi qu'ils se cachaient pour fumer. Qu'ils possédaient une réserve d'allumettes, qu'ils se relevaient la nuit pour voler dans le buffet, qu'ils vidaient leur cuvette par la fenêtre sur les passants, etc., etc. . . . ;

on eut aussi l'explication d'un court-circuit mystérieux,
d'une explosion de gaz et d'une foule d'autres méfaits
dont les auteurs étaient restés jusqu'alors insoupçonnés.

M. Bonneval dut se faire plusieurs fois violence pour
5 contenir sa colère et Mme Bonneval pour dissimuler son
émotion. Elle coupait fébrilement du pain, tandis que
lui, par un effort de volonté restait penché sur le civet
de lapin et simulait une grande attention dans le choix
des morceaux.

10 —Dis donc, Riri, papa a encore pris tout le râble!...
—Est-ce que tu crois qu'il va nous laisser de la sauce?
—Maman a bien raison de dire qu'il ne pense qu'à
lui!...

Une gifle, plus violente d'avoir été longtemps con-
15 tenue, vint rappeler Toto au respect de ses ascendants
et l'avertir en même temps que l'état de son père s'amé-
liorait sensiblement.

—Petit imbécile! Ca t'apprendra à te moquer de ta
maman!

20 Toto ne pleura pas: il était foudroyé, comme Ivan
Ogareff quand il découvrit le regard vivant de Michel
Strogoff.

Mais au bout d'un moment, il balbutia:
—Alors tu entends?... Tu es guéri?

25 Mme Bonneval, déliée du vœu de surdité par le geste
même de son mari, crut devoir intervenir pour fournir
une explication:
—C'est le remède qui opère. Moi aussi, je commence
à entendre....

30 C'était l'aveu de la défaite, la faillite de l'expérience,
l'écroulement du système; M. Bonneval n'insista pas
et trouva plus habile d'enchaîner, comme si rien ne
s'était passé:
—Toto, va dire à Gertrude d'apporter le café. Allons,
35 va vite....

Mais Toto, sans bouger, regarde tranquillement son père et déclare, en se frottant l'oreille:

—Je ne sais pas ce que j'ai, je crois que je deviens complètement sourd!

PIERRE CHAINE
Les Scrupules de M. Bonneval
(By permission of Éditions Bernard Grasset)

Le trop d'attention qu'on a pour le danger
Fait le plus souvent qu'on y tombe.

LA FONTAINE

Le ciel est, par-dessus le toit…

Le ciel est, par-dessus le toit
    Si bleu, si calme!
Un arbre, par-dessus le toit,
    Berce sa palme.

5   La cloche, dans le ciel qu'on voit,
    Doucement tinte.
Un oiseau sur l'arbre qu'on voit
    Chante sa plainte.

Mon Dieu, mon Dieu, la vie est là,
10   Simple et tranquille.
Cette paisible rumeur-là
    Vient de la ville!

—Qu'as-tu fait, ô toi que voilà
    Pleurant sans cesse,
15   Dis, qu'as-tu fait, toi que voilà,
    De ta jeunesse?

PAUL VERLAINE

Le Secret de maître Cornille

FRANCET MAMAÏ, un vieux joueur de fifre, qui vient
de temps en temps faire la veillée chez moi, en
buvant du vin cuit, m'a raconté l'autre soir un petit
drame de village dont mon moulin a été témoin il y a
quelque vingt ans. Le récit du bonhomme m'a touché, 5
et je vais essayer de vous le redire tel que je l'ai entendu.

Imaginez-vous pour un moment, chers lecteurs, que
vous êtes assis devant un pot de vin tout parfumé, et
que c'est un vieux joueur de fifre qui vous parle.

«Notre pays, mon bon monsieur, n'a pas toujours été 10
un endroit mort et sans refrains comme il est aujourd'hui.
Auparavant, il s'y faisait un grand commerce de meunerie, et, dix lieues à la ronde, les gens des *mas* nous
apportaient leur blé à moudre... Tout autour du
village les collines étaient couvertes de moulins à vent. 15
De droite et de gauche, on ne voyait que des ailes qui
viraient au mistral par-dessus les pins, des ribambelles
de petits ânes chargés de sacs, montant et dévalant le
long des chemins; et toute la semaine c'était plaisir

d'entendre sur la hauteur le bruit des fouets, le craquement de la toile et le *Dia hue!* des aides-meuniers. . .
Le dimanche nous allions aux moulins, par bandes. Là-
haut, les meuniers payaient le muscat. Les meunières
5 étaient belles comme des reines, avec leurs fichus de
dentelles et leurs croix d'or. Moi, j'apportais mon fifre,
et jusqu'à la noire nuit on dansait des farandoles. Ces
moulins-là, voyez-vous, faisaient la joie et la richesse
de notre pays.

10 Malheureusement, des Français de Paris eurent l'idée
d'établir une minoterie à vapeur, sur la route de Tarascon. Tout beau, tout nouveau! Les gens prirent l'habitude d'envoyer leurs blés aux minotiers, et les pauvres
moulins à vent restèrent sans ouvrage. Pendant quelque
15 temps ils essayèrent de lutter, mais la vapeur fut la plus
forte, et l'un après l'autre, *pécaïre!* ils furent tous obligés
de fermer. . . On ne vit plus venir les petits ânes. . .
Les belles meunières vendirent leurs croix d'or. . . Plus
de muscat! plus de farandole!. . . Le mistral avait beau
20 souffler, les ailes restaient immobiles. . . Puis, un beau
jour, la commune fit jeter toutes ces masures à bas, et
l'on sema à leur place de la vigne et des oliviers.

Pourtant, au milieu de la débâcle, un moulin avait
tenu bon et continuait de virer courageusement sur sa
25 butte, à la barbe des minotiers. C'était le moulin de
maître Cornille, celui-là même où nous sommes en train
de faire la veillée en ce moment.

Maître Cornille était un vieux meunier, vivant depuis
soixante ans dans la farine et enragé pour son état.
30 L'installation des minoteries l'avait rendu comme fou.
Pendant huit jours, on le vit courir par le village, ameu-
tant le monde autour de lui et criant de toutes ses forces
qu'on voulait empoisonner la Provence avec la farine
des minotiers. «N'allez pas là-bas, disait-il; ces brigands-

là, pour faire le pain, se servent de la vapeur, qui est une invention du diable tandis que moi je travaille avec le mistral et la tramontane, qui sont la respiration du bon Dieu...» Et il trouvait comme cela une foule de belles paroles à la louange des moulins à vent, mais personne ne les écoutait.

Alors, de male rage, le vieux s'enferma dans son moulin et vécut tout seul comme une bête farouche. Il ne voulut pas même garder près de lui sa petite-fille Vivette, une enfant de quinze ans, qui, depuis la mort de ses parents, n'avait plus que son *grand* au monde. La pauvre petite fut obligée de gagner sa vie et de se louer un peu partout dans les *mas*, pour la moisson, les magnans ou les olivades. Et pourtant son grand-père avait l'air de bien l'aimer, cette enfant-là. Il lui arrivait souvent de faire ses quatre lieues à pied par le grand soleil pour aller la voir au *mas* où elle travaillait, et quand il était près d'elle, il passait des heures entières à la regarder en pleurant...

Dans le pays on pensait que le vieux meunier, en renvoyant Vivette, avait agi par avarice; et cela ne lui faisait pas honneur de laisser sa petite-fille ainsi traîner d'une ferme à l'autre, exposée aux brutalités des *baïles* et à toutes les misères des jeunesses en condition. On trouvait très mal aussi qu'un homme du renom de maître Cornille, et qui, jusque-là, s'était respecté, s'en allât maintenant par les rues comme un vrai bohémien, pieds nus, le bonnet troué... Le fait est que le dimanche, lorsque nous le voyions entrer à la messe, nous avions honte pour lui, nous autres les vieux; et Cornille le sentait si bien qu'il n'osait plus venir s'asseoir sur le banc d'œuvre. Toujours il restait au fond de l'église, près du bénitier, avec les pauvres.

Dans la vie de maître Cornille il y avait quelque chose qui n'était pas clair. Depuis longtemps personne au

village, ne lui portait plus de blé, et pourtant les ailes
de son moulin allaient toujours leur train comme devant... Le soir, on rencontrait par les chemins le vieux
meunier poussant devant lui son âne chargé de gros sacs
5 de farine.

—Bonnes vêpres, maître Cornille! lui criaient les
paysans; ça va donc toujours, la meunerie?

—Toujours, mes enfants, répondait le vieux d'un air
gaillard. Dieu merci, ce n'est pas l'ouvrage qui nous
10 manque.

Alors, si on lui demandait d'où diable pouvait venir
tant d'ouvrage, il se mettait un doigt sur les lèvres et
répondait gravement: «*Motus!* je travaille pour l'exportation...» Jamais on n'en put tirer davantage.

15 Quant à mettre le nez dans son moulin, il n'y fallait
pas songer. La petite Vivette elle-même n'y entrait pas...

Lorsqu'on passait devant, on voyait la porte toujours
fermée, les grosses ailes toujours en mouvement, le vieil
âne broutant le gazon de la plate-forme, et un grand
20 chat maigre qui prenait le soleil sur le rebord de la
fenêtre et vous regardait d'un air méchant.

Tout cela sentait le mystère et faisait beaucoup jaser
le monde. Chacun expliquait à sa façon le secret de
maître Cornille, mais le bruit général était qu'il y avait
25 dans ce moulin-là encore plus de sacs d'écus que de
sacs de farine.

A la longue pourtant tout se découvrit; voici comment:
En faisant danser la jeunesse avec mon fifre, je m'aperçus un beau jour que l'aîné de mes garçons et la petite
30 Vivette s'étaient rendus amoureux l'un de l'autre. Au
fond je n'en fus pas fâché, parce qu'après tout le nom
de Cornille était en honneur chez nous, et puis ce joli
petit passereau de Vivette m'aurait fait plaisir à voir
trotter dans ma maison. Seulement, je voulus régler

l'affaire tout de suite, et je montai jusqu'au moulin pour en toucher deux mots au grand-père... Ah! le vieux sorcier! il faut voir de quelle manière il me reçut! Impossible de lui faire ouvrir sa porte. Je lui expliquai mes raisons tant bien que mal, à travers le trou de la 5 serrure; et tout le temps que je parlais, il y avait ce coquin de chat maigre qui soufflait comme un diable au-dessus de ma tête.

Le vieux ne me donna pas le temps de finir, et me cria fort malhonnêtement de retourner à ma flûte; que, 10 si j'étais pressé de marier mon garçon, je pouvais bien aller chercher des filles à la minoterie... Pensez que le sang me montait d'entendre ces mauvaises paroles; mais j'eus tout de même assez de sagesse pour me contenir, et, laissant ce vieux fou à sa meule, je revins annoncer 15 aux enfants ma déconvenue... Ces pauvres agneaux ne pouvaient pas y croire; ils me demandèrent comme une grâce de monter tous deux ensemble au moulin, pour parler au grand-père... Je n'eus pas le courage de refuser, et prrrt! voilà mes amoureux partis. 20

Tout juste comme ils arrivaient là-haut, maître Cornille venait de sortir. La porte était fermée à double tour; mais le vieux bonhomme, en partant, avait laissé son échelle dehors, et tout de suite l'idée vint aux enfants d'entrer par la fenêtre, voir un peu ce qu'il y 25 avait dans ce fameux moulin...

Chose singulière! la chambre de la meule était vide... Pas un sac, pas un grain de blé; pas la moindre farine aux murs ni sur les toiles d'araignée... On ne sentait pas même cette bonne odeur chaude de froment écrasé qui 30 embaume dans les moulins... L'arbre de couche était couvert de poussière, et le grand chat maigre dormait dessus.

La pièce du bas avait le même air de misère et d'aban-don:—un mauvais lit, quelques guenilles, un morceau 35 de pain sur une marche d'escalier, et puis dans un coin trois ou quatre sacs crevés d'où coulaient des gravats et de la terre blanche.

C'était là le secret de maître Cornille! C'était ce
5 plâtras qu'il promenait le soir par les routes, pour sauver l'honneur du moulin et faire croire qu'on y faisait de la farine... Pauvre moulin! Pauvre Cornille! Depuis longtemps les minotiers leur avaient enlevé leur dernière pratique. Les ailes viraient toujours, mais la meule
10 tournait à vide.

Les enfants revinrent tout en larmes, me conter ce qu'ils avaient vu. J'eus le cœur crevé de les entendre... Sans perdre une minute, je courus chez les voisins, je leur dis la chose en deux mots, et nous convînmes qu'il
15 fallait, sur l'heure, porter au moulin Cornille tout ce qu'il y avait de froment dans les maisons... Sitôt dit, sitôt fait. Tout le village se met en route, et nous arrivons là-haut avec une procession d'ânes chargés de blé,—du vrai blé, celui-là!

20 Le moulin était grand ouvert... Devant la porte, maître Cornille, assis sur un sac de plâtre, pleurait, la tête dans ses mains. Il venait de s'apercevoir, en rentrant, que pendant son absence on avait pénétré chez lui et surpris son triste secret.

25 —Pauvre de moi! disait-il. Maintenant, je n'ai plus qu'à mourir... Le moulin est déshonoré.

Et il sanglotait à fendre l'âme, appelant son moulin par toutes sortes de noms, lui parlant comme à une personne véritable.

30 A ce moment, les ânes arrivent sur la plate-forme, et nous nous mettons tous à crier bien fort comme au beau temps des meuniers:

—Ohé! du moulin!... Ohé! maître Cornille!

Et voilà les sacs qui s'entassent devant la porte et le
35 beau grain roux qui se répand par terre, de tous côtés...

Maître Cornille ouvrait de grands yeux. Il avait pris du blé dans le creux de sa vieille main et il disait, riant et pleurant à la fois:

—C'est du blé!... Seigneur Dieu!... Du bon blé!... Laissez-moi, que je le regarde. 5

Puis, se tournant vers nous:

—Ah! je savais bien que vous me reviendriez... Tous ces minotiers sont des voleurs.

Nous voulions l'emporter en triomphe au village:

—Non, non, mes enfants; il faut avant tout que j'aille 10 donner à manger à mon moulin... Pensez donc! il y a si longtemps qu'il ne s'est rien mis sous la dent!

Et nous avions tous des larmes dans les yeux de voir le pauvre vieux se démener de droite et de gauche, éventrant les sacs, surveillant la meule, tandis que le 15 grain s'écrasait et que la fine poussière de froment s'envolait au plafond.

C'est une justice à nous rendre: à partir de ce jour-là, jamais nous ne laissâmes le vieux meunier manquer d'ouvrage. Puis, un matin, maître Cornille mourut, et 20 les ailes de notre dernier moulin cessèrent de virer, pour toujours cette fois... Cornille mort, personne ne prit sa suite. Que voulez-vous, monsieur!... tout a une fin en ce monde, et il faut croire que le temps des moulins à vent était passé comme celui des coches sur le Rhône, 25 des parlements et des jaquettes à grandes fleurs.

ALPHONSE DAUDET

Lettres de mon moulin

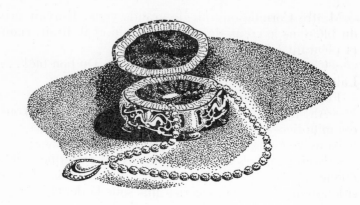

La Parure

C'ÉTAIT une de ces jolies et charmantes filles, nées, comme par une erreur du destin, dans une famille d'employés. Elle n'avait pas de dot, pas d'espérances, aucun moyen d'être connue, comprise, aimée, épousée
5 par un homme riche et distingué; et elle se laissa marier avec un petit commis du ministère de l'Instruction publique.

Elle fut simple, ne pouvant être parée; mais malheureuse comme une déclassée; car les femmes n'ont
10 point de caste ni de race, leur beauté, leur grâce et leur charme leur servant de naissance et de famille. Leur finesse native, leur instinct d'élégance, leur souplesse d'esprit sont leur seule hiérarchie, et font des filles du peuple les égales des plus grandes dames.

15 Elle souffrait sans cesse, se sentant née pour toutes les délicatesses et tous les luxes. Elle souffrait de la pauvreté de son logement, de la misère des murs, de l'usure des sièges, de la laideur des étoffes. Toutes ces choses,

dont une autre femme de sa caste ne se serait même pas aperçue, la torturaient et l'indignaient. La vue de la petite Bretonne qui faisait son humble ménage éveillait en elle des regrets désolés et des rêves éperdus. Elle songeait aux antichambres muettes, capitonnées avec des tentures orientales, éclairées par de hautes torchères de bronze, et aux deux grands valets en culotte courte qui dorment dans les larges fauteuils, assoupis par la chaleur lourde du calorifère. Elle songeait aux grands salons vêtus de soie ancienne, aux meubles fins portant des bibelots inestimables, et aux petits salons coquets, parfumés, faits pour la causerie de cinq heures avec les amis les plus intimes, les hommes connus et recherchés dont toutes les femmes envient et désirent l'attention.

Quand elle s'asseyait, pour dîner, devant la table ronde couverte d'une nappe de trois jours, en face de son mari qui découvrait la soupière en déclarant d'un air enchanté: «Ah! le bon pot-au-feu! je ne sais rien de meilleur que cela...,» elle songeait aux dîners fins, aux argenteries reluisantes, aux tapisseries peuplant les murailles de personnages anciens et d'oiseaux étranges au milieu d'une forêt de féerie; elle songeait aux plats exquis servis en des vaisselles merveilleuses, aux galanteries chuchotées et écoutées avec un sourire de sphinx, tout en mangeant la chair rose d'une truite ou des ailes de gélinotte.

Elle n'avait pas de toilettes, pas de bijoux, rien. Et elle n'aimait que cela; elle se sentait faite pour cela. Elle eût tant désiré plaire, être enviée, être séduisante et recherchée.

Elle avait une amie riche, une camarade de couvent qu'elle ne voulait plus aller voir, tant elle souffrait en revenant. Et elle pleurait pendant des jours entiers, de chagrin, de regret, de désespoir, et de détresse.

Or, un soir, son mari rentra, l'air glorieux et tenant à la main une large enveloppe.

—Tiens, dit-il, voici quelque chose pour toi.

Elle déchira vivement le papier et en tira une carte
5 imprimée qui portait ces mots:

«Le ministre de l'Instruction publique et Mme Georges Ramponneau prient M. et Mme Loisel de leur faire l'honneur de venir passer la soirée à l'hôtel du ministère, le lundi 18 janvier.»

10 Au lieu d'être ravie, comme l'espérait son mari, elle jeta avec dépit l'invitation sur la table, murmurant:

—Que veux-tu que je fasse de cela?

—Mais, ma chérie, je pensais que tu serais contente. Tu ne sors jamais, et c'est une occasion, cela, une belle!
15 J'ai eu une peine infinie à l'obtenir. Tout le monde en veut; c'est très recherché et on n'en donne pas beaucoup aux employés. Tu verras là tout le monde officiel.

Elle le regardait d'un œil irrité, et elle déclara avec impatience:

20 —Que veux-tu que je me mette sur le dos pour aller là?

Il n'y avait pas songé; il balbutia:

—Mais la robe avec laquelle tu vas au théâtre. Elle me semble très bien, à moi. . . .

Il se tut, stupéfait, éperdu, en voyant que sa femme
25 pleurait. Deux grosses larmes descendaient lentement des coins des yeux vers les coins de la bouche; il bégaya:

—Qu'as-tu? qu'as-tu?

Mais, par un effort violent, elle avait dompté sa peine et elle répondit d'une voix calme en essuyant ses joues
30 humides:

—Rien. Seulement je n'ai pas de toilette et par conséquent je ne peux aller à cette fête. Donne ta carte à quelque collègue dont la femme sera mieux nippée que moi.

Il était désolé. Il reprit:

—Voyons, Mathilde. Combien cela coûterait-il, une toilette convenable, qui pourrait te servir encore en d'autres occasions, quelque chose de très simple?

Elle réfléchit quelques secondes, établissant ses comptes et songeant aussi à la somme, qu'elle pouvait demander sans s'attirer un refus immédiat et une exclamation effarée du commis économe.

Enfin, elle répondit en hésitant:

—Je ne sais pas au juste, mais il me semble qu'avec quatre cents francs je pourrais arriver.

Il avait un peu pâli, car il réservait juste cette somme pour acheter un fusil et s'offrir des parties de chasse, l'été suivant, dans la plaine de Nanterre, avec quelques amis qui allaient tirer des alouettes, par là, le dimanche.

Il dit cependant:

—Soit. Je te donne quatre cents francs. Mais tâche d'avoir une belle robe.

Le jour de la fête approchait, et Mme Loisel semblait triste, inquiète, anxieuse. Sa toilette était prête cependant. Son mari lui dit un soir:

—Qu'as-tu? Voyons, tu es toute drôle depuis trois jours.

Et elle répondit:

—Cela m'ennuie de n'avoir pas un bijou, pas une pierre, rien à mettre sur moi. J'aurai l'air misère comme tout. J'aimerais presque mieux ne pas aller à cette soirée.

Il reprit:

—Tu mettras des fleurs naturelles. C'est très chic en cette saison-ci. Pour dix francs tu auras deux ou trois roses magnifiques.

Elle n'était point convaincue.

—Non ... il n'y a rien de plus humiliant que d'avoir l'air pauvre au milieu de femmes riches.

Mais son mari s'écria:

—Que tu es bête! Va trouver ton amie Mme Forestier et demande-lui de te prêter des bijoux. Tu es bien assez liée avec elle pour faire cela.

5 Elle poussa un cri de joie.

—C'est vrai. Je n'y avais point pensé.

Le lendemain, elle se rendit chez son amie et lui conta sa détresse.

Mme Forestier alla vers son armoire à glace, prit un 10 large coffret, l'apporta, l'ouvrit, et dit à Mme Loisel:

—Choisis, ma chère.

Elle vit d'abord des bracelets, puis un collier de perles, puis une croix vénitienne, or et pierreries, d'un admirable travail. Elle essayait les parures devant la glace, hésitait, 15 ne pouvait se décider à les quitter, à les rendre. Elle demandait toujours:

—Tu n'as plus rien autre?

—Mais si. Cherche. Je ne sais pas ce qui peut te plaire.

Tout à coup elle découvrit, dans une boîte de satin noir, 20 une superbe rivière de diamants; et son cœur se mit à battre d'un désir immodéré. Ses mains tremblaient en la prenant. Elle l'attacha autour de sa gorge, sur sa robe montante, et demeura en extase devant elle-même.

Puis, elle demanda, hésitante, pleine d'angoisse:

25 —Peux-tu me prêter cela, rien que cela?

—Mais oui, certainement.

Elle sauta au cou de son amie, l'embrassa avec emportement, puis s'enfuit avec son trésor.

Le jour de la fête arriva. Mme Loisel eut un succès. 30 Elle était plus jolie que toutes, élégante, gracieuse, souriante et folle de joie. Tous les hommes la regardaient, demandaient son nom, cherchaient à être présentés. Tous les attachés du cabinet voulaient valser avec elle. Le ministre la remarqua.

Elle partit vers quatre heures du matin. Son mari, depuis minuit, dormait dans un petit salon désert avec trois autres messieurs.

Il lui jeta sur les épaules les vêtements qu'il avait apporté pour la sortie, modestes vêtements de la vie ordinaire, dont la pauvreté jurait avec l'élégance de la toilette de bal. Elle le sentit et voulut s'enfuir, pour ne pas être remarquée par les autres femmes qui s'enveloppaient de riches fourrures.

Loisel la retenait:

—Attends donc. Tu vas attraper froid dehors. Je vais appeler un fiacre.

Mais elle ne l'écoutait point et descendait rapidement l'escalier. Lorsqu'ils furent dans la rue, ils ne trouvèrent pas de voiture; et ils se mirent à chercher, criant après les cochers qu'ils voyaient passer de loin.

Ils descendaient vers la Seine, désespérés, grelottants. Enfin ils trouvèrent sur le quai un de ces vieux coupés noctambules qu'on ne voit dans Paris que la nuit venue, comme s'ils eussent été honteux de leur misère pendant le jour.

Il les ramena jusqu'à leur porte, rue des Martyrs, et ils remontèrent tristement chez eux. C'était fini, pour elle. Et il songeait, lui, qu'il lui faudrait être au Ministère à dix heures.

Elle ôta les vêtements dont elle s'était enveloppé les épaules, devant la glace, afin de se voir encore une fois dans sa gloire. Mais soudain elle poussa un cri. Elle n'avait plus sa rivière autour du cou.

Son mari, à moitié dévêtu déjà, demanda:

—Qu'est-ce que tu as?

Elle se tourna vers lui, affolée:

—J'ai . . . j'ai . . . je n'ai plus la rivière de Mme Forestier.

Il se dressa, éperdu:

—Quoi!... comment!... Ce n'est pas possible!

Et ils cherchèrent dans les plis de la robe, dans les plis du manteau, dans les poches, partout. Ils ne la trouvèrent point.

Il demandait:

—Tu es sûre que tu l'avais encore en quittant le bal?

—Oui, je l'ai touchée dans le vestibule du Ministère.

—Mais si tu l'avais perdue dans la rue, nous l'aurions entendue tomber. Elle doit être dans le fiacre.

—Oui. C'est probable. As-tu pris le numéro?

—Non. Et toi, tu ne l'as pas regardé?

—Non.

Ils se contemplaient atterrés. Enfin Loisel se rhabilla.

—Je vais, dit-il, refaire tout le trajet que nous avons fait à pied, pour voir si je ne la retrouverai pas.

Et il sortit. Elle demeura en toilette de soirée, sans force pour se coucher, abattue sur une chaise, sans feu, sans pensée.

Son mari rentra vers sept heures. Il n'avait rien trouvé.

Il se rendit à la Préfecture de police, aux journaux, pour faire promettre une récompense, aux compagnies de petites voitures, partout enfin où un soupçon d'espoir le poussait.

Elle attendit tout le jour, dans le même état d'effarement devant cet affreux désastre.

Loisel revint le soir, avec la figure creusée, pâlie; il n'avait rien découvert.

—Il faut, dit-il, écrire à ton amie que tu as brisé la fermeture de sa rivière et que tu la fais réparer. Cela nous donnera le temps de nous retourner.

Elle écrivit sous sa dictée.

Au bout d'une semaine, ils avaient perdu toute espérance.

Et Loisel, vieilli de cinq ans, déclara:

—Il faut aviser à remplacer ce bijou.

Ils prirent, le lendemain, la boîte qui l'avait renfermé, et se rendirent chez le joaillier, dont le nom se trouvait dedans. Il consulta ses livres: 5

—Ce n'est pas moi, madame, qui ai vendu cette rivière; j'ai dû seulement fournir l'écrin.

Alors ils allèrent de bijoutier en bijoutier, cherchant une parure pareille à l'autre, consultant leurs souvenirs, malades tous deux de chagrin et d'angoisse. 10

Ils trouvèrent, dans une boutique du Palais-Royal, un chapelet de diamants qui leur parut entièrement semblable à celui qu'ils cherchaient. Il valait quarante mille francs. On le leur laisserait à trente-six mille.

Ils prièrent donc le joaillier de ne pas le vendre avant 15 trois jours. Et ils firent condition qu'on le reprendrait pour trente-quatre mille francs, si le premier était retrouvé avant la fin de février.

Loisel possédait dix-huit mille francs que lui avait laissés son père. Il emprunterait le reste. 20

Il emprunta, demandant mille francs à l'un, cinq cents à l'autre, cinq louis par-ci, trois louis par-là. Il fit des billets, prit des engagements ruineux, eut affaire aux usuriers, à toutes les races de prêteurs. Il compromit toute la fin de son existence, risqua sa signature sans 25 savoir même s'il pourrait y faire honneur, et, épouvanté par les angoisses de l'avenir, par la noire misère qui allait s'abattre sur lui, par la perspective de toutes les privations physiques et de toutes les tortures morales, il alla chercher la rivière nouvelle, en déposant sur le comp- 30 toir du marchand trente-six mille francs.

Quand Mme Loisel reporta la parure à Mme Forestier, celle-ci lui dit, d'un air froissé:

—Tu aurais dû me la rendre plus tôt, car je pouvais en avoir besoin. 35

Elle n'ouvrit pas l'écrin, ce que redoutait son amie. Si elle s'était aperçue de la substitution, qu'aurait-elle pensé? Qu'aurait-elle dit? Ne l'aurait-elle pas prise pour une voleuse?

5 Mme Loisel connut la vie horrible des nécessiteux. Elle prit son parti, d'ailleurs, tout d'un coup, héroïquement. Il fallait payer cette dette effroyable. Elle payerait. On renvoya la bonne; on changea de logement; on loua sous les toits une mansarde.

10 Elle connut les gros travaux du ménage, les odieuses besognes de la cuisine. Elle lava la vaisselle, usant ses ongles roses sur les poteries grasses et le fond des casseroles. Elle savonna le linge sale, les chemises et les torchons, qu'elle faisait sécher sur une corde; elle descen-
15 dit à la rue, chaque matin, les ordures, et monta l'eau, s'arrêtant à chaque étage pour souffler. Et, vêtue comme une femme du peuple, elle alla chez le fruitier, chez l'épicier, chez le boucher, le panier au bras, marchandant, injuriée, défendant sou à sou son misérable argent.

20 Il fallait chaque mois payer des billets, en renouveler d'autres, obtenir du temps.

Le mari travaillait, le soir, à mettre au net les comptes d'un commerçant, et la nuit, souvent, il faisait de la copie à cinq sous la page.

25 Et cette vie dura dix ans.

Au bout de dix ans, ils avaient tout restitué, tout, avec le taux de l'usure, et l'accumulation des intérêts superposés.

Mme Loisel semblait vieille, maintenant. Elle était
30 devenue la femme forte, et dure, et rude, des ménages pauvres. Mal peignée, avec les jupes de travers et les mains rouges, elle parlait haut, lavait à grande eau les planchers. Mais parfois, lorsque son mari était au bureau, elle s'asseyait auprès de la fenêtre, et elle songeait

à cette soirée d'autrefois, à ce bal où elle avait été si belle et si fêtée.

Que serait-il arrivé si elle n'avait point perdu cette parure? Qui sait? qui sait? Comme la vie est singulière, changeante! Comme il faut peu de chose pour vous 5 perdre ou vous sauver!

Or, un dimanche, comme elle était allée faire un tour aux Champs-Elysées pour se délasser des besognes de la semaine, elle aperçut tout à coup une femme qui promenait un enfant. C'était Mme Forestier, toujours jeune, 10 toujours belle, toujours séduisante.

Mme Loisel se sentit émue. Allait-elle lui parler? Oui, certes. Et maintenant qu'elle avait payé, elle lui dirait tout. Pourquoi pas?

Elle s'approcha. 15

—Bonjour, Jeanne.

L'autre ne la reconnaissait point, s'étonnant d'être appelée ainsi familièrement par cette bourgeoise. Elle balbutia:

—Mais . . . madame! . . . Je ne sais . . . Vous devez 20 vous tromper.

—Non. Je suis Mathilde Loisel.

Son amie poussa un cri:

—Oh! . . . ma pauvre Mathilde, comme tu es changée! . . . 25

—Oui, j'ai eu des jours bien durs, depuis que je ne t'ai vue; et bien des misères . . . et cela à cause de toi! . . .

—De moi. . . . Comment ça?

—Tu te rappelles bien cette rivière de diamants que tu m'as prêtée pour aller à la fête du Ministère. 30

—Oui. Eh bien?

—Eh bien, je l'ai perdue.

—Comment! puisque tu me l'as rapportée.

—Je t'en ai rapporté une autre toute pareille. Et

voilà dix ans que nous la payons. Tu comprends que ça n'était pas aisé pour nous, qui n'avions rien.... Enfin c'est fini, et je suis rudement contente.

Mme Forestier s'était arrêtée.

5   —Tu dis que tu as acheté une rivière de diamants pour remplacer la mienne?

—Oui. Tu ne t'en étais pas aperçue, hein! Elles étaient bien pareilles.

Et elle souriait d'une joie orgueilleuse et naïve.

10   Mme Forestier, fort émue, lui prit les deux mains.

—Oh! ma pauvre Mathilde! Mais la mienne était fausse. Elle valait au plus cinq cents francs!...

GUY DE MAUPASSANT

La Grammaire

PERSONNAGES

François Caboussat, ancien négociant
Poitrinas, président de l'Académie d'Étampes
Machut, vétérinaire
Jean, domestique de Caboussat
Blanche, fille de Caboussat   5

La scène se passe à Arpajon, chez Caboussat.

Un salon de campagne, avec trois baies ouvertes sur un jardin. Portes latérales au premier plan. A gauche, près de la porte, un buffet. A droite, sur le devant de la scène, une table. Au fond, une autre table, sur laquelle se trouvent 10 *des tasses.*

SCÈNE PREMIÈRE

JEAN, *puis* MACHUT, *puis* BLANCHE

*Au lever du rideau, Jean range de la vaisselle devant un
buffet qui se trouve à gauche, au premier plan.*

JEAN.—L'ennui de la vaisselle quand on l'a rangée,
c'est qu'il faut la déranger. (*Un saladier lui échappe des*
5 *mains et se casse.*)

MACHUT, *entrant.*—Paf!

JEAN.—Sacrebleu! le saladier doré!

MACHUT.—Tu travailles bien, toi!

JEAN.—Ah! ce n'est que le vétérinaire!... Vous
10 m'avez fait peur.

MACHUT.—Qu'est-ce que va dire monsieur Caboussat,
ton maître, en voyant cette fabrique de castagnettes?

JEAN, *ramassant les morceaux.*—Il ne la verra pas...
j'enterre les morceaux au fond du jardin... j'ai là une
15 petite fosse... près de l'abricotier... c'est propre et
gazonné.

BLANCHE, *entrant par la droite, premier plan.*—Jean!
(*Apercevant Machut*). Ah! bonjour, monsieur Machut.

MACHUT, *saluant.*—Mademoiselle...

20 BLANCHE, *à Jean.*—Tu n'as pas vu le saladier doré?

JEAN, *cachant les morceaux dans son tablier.*—Non,
mademoiselle.

BLANCHE.—Je le cherche pour y mettre des fraises.

JEAN.—Il doit être resté dans le buffet de la salle à
25 manger.

BLANCHE.—Je vais voir... C'est étonnant la quantité
de vaisselle qui disparaît...

JEAN.—On ne casse pourtant rien... *Blanche sort par
la gauche, premier plan.*

SCÈNE II

Jean, Machut, *puis* Caboussat

Machut.—Ah bien! tu as de l'aplomb, toi!

Jean.—Dame! si elle savait que son saladier est cassé . . . ça lui ferait de la peine, à cette demoiselle.

Machut.—Ah çà! je viens pour la vache. . .

Jean.—Oh! c'est inutile.

Machut.—Pourquoi?

Jean.—Elle est morte. . . Il paraît qu'elle avait avalé un petit morceau de carafe . . . mal enterré.

Machut.—Ah! voilà! tu ne creuses pas assez.

Jean.—C'est vrai . . . mais il fait si chaud depuis un mois!

Machut.—Ah çà! c'est aujourd'hui le grand jour! ton maître doit être dans tous ses états.

Jean.—Pourquoi?

Machut.—C'est dans deux heures qu'on va élire le président du comice agricole d'Arpajon.

Jean.—Croyez-vous que monsieur Caboussat soit renommé?

Machut.—Je n'en doute pas; j'ai déjà bu treize verres de vin à son intention.

Jean.—Vrai? Eh bien, ça ne paraît pas.

Machut.—Je cabale pour ton maître. C'est juste, j'ai la pratique de la maison.

Jean.—Il a un concurrent qui est un malin, monsieur Chatfinet, un ancien avoué. . . Depuis un mois il ne fait que causer avec les paysans. . .

Machut.—Il fait mieux que ça. Dimanche dernier, il a été à Paris et il en est revenu avec une cinquantaine de petits ballons rouges qui s'enlèvent tout seuls . . . et il les a distribués gratis aux enfants de la classe agricole.

JEAN.—Ah! c'est très fort!

MACHUT.—Oui, mais j'ai paré le coup ... j'ai répandu le bruit que les ballons attiraient la grêle ... et on les a tous crevés.

5 JEAN.—Quel diplomate que ce père Machut!

MACHUT.—Nous ne voulons pas de Chatfinet... A bas Chatfinet! un intrigant ... qui fait venir d'Étampes son vétérinaire!

JEAN.—Ah! voilà!

10 MACHUT.—Ce qu'il nous faut, c'est monsieur Caboussat ... un homme sobre ... et instruit! ... car on peut dire que c'est un savant, celui-là!

JEAN.—Quant à ça... Il reste des heures entières dans son cabinet avec un livre à la main ... l'œil fixe ... la 15 tête immobile ... comme s'il ne comprenait pas.

MACHUT.—Il réfléchit.

JEAN.—Il creuse ... (*Apercevant Caboussat.*) Le voici ... (*Montrant les morceaux du saladier.*) Je vais faire comme lui, je vais creuser. (*Il sort par le pan coupé de* 20 *gauche.*)

SCÈNE III

MACHUT, CABOUSSAT

Caboussat entre par la droite, premier plan, un livre à la main et plongé dans sa lecture.

25 MACHUT, *à part.*—Il ne me voit pas ... il creuse.

CABOUSSAT, *lisant et à lui-même.*

«*Nota.*—On reconnaît mécaniquement que le participe suivi d'un infinitif est variable quand on peut tourner l'infinitif par le participe présent.» (*Parlé.*) Il faut 30 tourner l'infinitif par le participe ... Ah! j'en ai mal à la tête!

MACHUT, *à part.*—Je parie que c'est du latin ... ou du grec. (*Il tousse.*) Hum! hum!

CABOUSSAT, *cachant vivement son livre dans sa poche.*—
Ah! c'est toi, Machut?

MACHUT.—Je vous dérange, monsieur Caboussat?

CABOUSSAT.—Non . . . je lisais. . .

MACHUT.—Ah çà! j'ai à vous parler de votre 5
élection . . . ça marche.

CABOUSSAT.—Ah! vraiment? Ma circulaire a été
goûtée?

MACHUT.—Je vous en réponds!. . . On peut dire
qu'elle était joliment troussée, votre circulaire! Je 10
compte sur une forte majorité.

CABOUSSAT.—Tant mieux!

MACHUT.—Et puis, savez-vous que nommé, pour la
seconde fois, président du comice agricole d'Arpajon,
vous pouvez aller loin . . . très loin. 15

CABOUSSAT.—Où ça?

MACHUT.—Qui sait?. . . Vous êtes déjà du conseil
municipal. . . Vous deviendrez peut-être notre maire un
jour!

CABOUSSAT.—Moi? Oh! quelle idée! . . . Je ne suis 20
pas ambitieux . . . mais cependant je reconnais que,
comme maire, je pourrais rendre quelques services à mon
pays.

MACHUT.—Parbleu! et vous ne vous arrêterez pas là.
Mais il faut commencer par le commencement . . . être 25
d'abord président du comice. . . J'ai vu les principaux
électeurs . . . ça bouillonne.

CABOUSSAT.—Ah!. . . ça bouillonne . . . pour moi?

MACHUT.—Tout à fait. . . Par exemple, il y a le père
Madou qui vous en veut. . . 30

CABOUSSAT.—A moi? . . . Qu'est-ce que je lui ai fait?

MACHUT.—Il vous trouve fier.

CABOUSSAT.—S'il est possible! Je ne le rencontre pas
sans lui demander des nouvelles de sa femme . . . à laquelle je ne m'intéresse pas du tout. 35

MACHUT.—Oui . . . vous êtes gentil pour sa femme . . . mais pas pour ses choux. . .

CABOUSSAT.—Comment?

MACHUT.—Il en a fait un arpent pour ses vaches. . .
5 Il prétend que vous êtes passé devant dix fois, et que vous ne lui avez jamais dit: «Ah! voilà de beaux choux!» Comme président du comice, il soutient que c'était votre devoir.

CABOUSSAT.—Ma foi! à te parler franchement, je ne les
10 ai pas regardés, ses choux.

MACHUT.—Faute! . . . faute! . . . Chatfinet, votre con-current, a été plus malin, il lui a dit ce matin: «Mon Dieu! les beaux choux!»

CABOUSSAT.—Il a dit cela, l'intrigant?

15 MACHUT.—Vous feriez bien d'aller voir le père Madou, en voisin . . . et de lui toucher un mot de ses choux . . . sans bassesse! Je ne vous conseillerai jamais une bassesse!

CABOUSSAT.—Tout de suite! J'y vais tout de suite! (*Appelant.*) Jean!

20 JEAN, *entrant par le pan coupé de droite.*—Monsieur!

CABOUSSAT, *va à Jean.*—Mon chapeau neuf . . . dé-pêche-toi! . . . (*Jean sort par la porte latérale, à droite.*)

MACHUT.—Je vais avec vous . . . je vous donnerai la réplique.

25 JEAN, *apportant le chapeau.*—Voilà, monsieur.

CABOUSSAT.—Une idée. . . Je vais lui en demander de la graine, de ses choux.

MACHUT.—Superbe!

Caboussat et Machut sortent par le fond.

30   SCÈNE IV

JEAN, *puis* POITRINAS, *puis* BLANCHE

JEAN, *seul.*—Monsieur met son chapeau neuf pour aller chercher de la graine de choux. . . Quelle drôle d'idée!

POITRINAS, *paraît au fond, une valise à la main, par le pan coupé gauche.*—Monsieur Caboussat, s'il vous plaît?

JEAN, *à part.*—Un étranger!

POITRINAS.—Annoncez-lui monsieur Poitrinas, premier président de l'Académie d'Étampes.

JEAN, *haut.*—Il vient de sortir; mais il ne tardera pas à rentrer.

POITRINAS.—Alors, je vais l'attendre . . . (*Lui donnant sa valise.*) Débarrasse-moi de ma valise.

JEAN.—Ah! comme ça, monsieur va rester ici? (*Il va mettre la valise sur une chaise au fond.*)

POITRINAS.—Probablement.

JEAN, *à part.*—Bien! une chambre à faire!

POITRINAS.—J'apporte à mon ami Caboussat une nouvelle . . . considérable.

JEAN, *curieux.*—Ah! laquelle?

POITRINAS.—Ça ne te regarde pas. . . Comment se porte mademoiselle Blanche, sa fille?

JEAN.—Très bien, je vous remercie. . .

POITRINAS.—Je ne l'ai pas beaucoup regardée quand elle est venue cet été à Étampes, cette chère enfant. . . Je venais de recevoir un envoi des plus précieux . . . une caisse de poteries, de vieux clous et autres antiquités gallo-romaines.

JEAN.—Qu'est-ce que c'est que ça?

POITRINAS.—Mais elle m'a paru jolie et bien élevée.

JEAN.—Oh! je vous en réponds. . . Un peu regardante sur la vaisselle. . .

POITRINAS.—Je vois que je pourrai donner suite à mes projets. . .

JEAN.—Quels projets?

POITRINAS.—Ça ne te regarde pas. . . Dis-moi, quand on laboure dans ce pays-ci, qu'est-ce qu'on trouve?

JEAN.—Où ça?

POITRINAS.—Derrière la charrue.

JEAN.—Dame! on trouve des vers blancs.

POITRINAS.—Je te parle d'antiquités . . . de fragments gallo-romains.

5 JEAN.—Ah! monsieur, nous ne connaissons pas ça.

POITRINAS.—Je profiterai de mon séjour pour faire faire quelques fouilles. J'ai constaté, sur ma carte des Gaules, la présence d'une voie romaine à Arpajon.

JEAN, *étonné.*—Oui! . . .

10 POITRINAS.—Vois-tu, moi, je suis doué . . . j'ai du flair . . . je n'ai qu'à regarder un terrain, et je dis tout de suite: «Il y a du romain là-dessous!»

JEAN, *abruti.*—Oui . . . (*A part.*) Qu'est-ce que c'est que cet homme-là?

15 BLANCHE, *entrant par le premier plan à droite; à part.*—Impossible de retrouver ce saladier.

JEAN.—Ah! voilà mademoiselle. (*Il remonte au fond, près du buffet.*)

BLANCHE.—Monsieur Poitrinas!

20 POITRINAS, *saluant.*—Mademoiselle. . .

BLANCHE.—Quelle bonne surprise! . . . et que mon père sera heureux de vous voir!

POITRINAS.—Oui . . . je lui apporte une nouvelle . . . considérable!

25 BLANCHE.—Monsieur Edmond, votre fils, n'est pas venu avec vous?

POITRINAS.—Non, dans ce moment-ci il est affligé d'une entorse.

BLANCHE.—Ah! quel dommage!

30 POITRINAS.—C'est un peu ma faute. J'avais pratiqué des fouilles au bout du parc, sans prévenir personne . . . et le soir il est tombé dedans. (*Consolé.*) Mais j'ai trouvé un manche de couteau du troisième siècle.

BLANCHE.—Et c'est pour cela que vous m'avez abîmé
35 mon danseur?

POITRINAS.—Votre danseur?

BLANCHE.—Mais oui; cet été, à Étampes, monsieur Edmond m'invitait tous les soirs . . . plusieurs fois . . . Croyez-vous qu'il guérisse?

POITRINAS.—C'est l'affaire de quelques jours.

BLANCHE.—Il ne boitera pas?

POITRINAS.—Nullement. . . Ce serait bien dommage, car le voilà bientôt d'âge à se marier.

BLANCHE.—Ah!

POITRINAS.—Mais vous aussi, je crois. . .

BLANCHE.—Moi? je ne sais pas. . . Papa ne m'en a pas encore parlé. (*A part.*) Est-ce qu'il viendrait demander ma main pour monsieur Edmond?

POITRINAS.—J'aurais une petite question à vous adresser.

BLANCHE, *à part.*—Ah! mon Dieu! voilà que j'ai peur!

POITRINAS.—Quand on bêche dans le jardin, qu'est-ce qu'on trouve?

JEAN, *à part.*—C'est un tic!

BLANCHE.—Dame! . . . on trouve de la terre . . . des pierres. . .

POITRINAS, *vivement.*—Avec des inscriptions?

BLANCHE.—Ah! je ne sais pas.

POITRINAS.—Nous vérifierons cela . . . plus tard.

BLANCHE.—Si vous voulez passer dans votre chambre . . . je vais vous installer.

POITRINAS, *prenant sa valise.*—Volontiers.

BLANCHE.—Vos fenêtres donnent sur le jardin.

POITRINAS.—Tant mieux, j'examinerai la configuration du terrain. (*A part, reniflant.*) Ça sent le romain, ici! (*Il entre à gauche avec Blanche.*)

JEAN.—Et il va coucher ici, cet homme-là! . . . Il me fait peur! (*Ils sortent tous les trois par le premier plan à droite, Jean le dernier.*)

SCÈNE V

Caboussat, *puis* Jean

Caboussat, *paraît au fond avec un chou sous un bras et une betterave sous l'autre.*—L'affaire du père Madou est arrangée. Je lui ai demandé un de ses choux . . . comme objet d'art. . . Je lui ai dit que je le mettrais dans mon
5 salon. Il y avait là un voisin, dans son champ de betteraves, qui commençait à faire la grimace. Je ne pouvais faire moins pour lui que pour l'autre. . . C'est un électeur. . . Alors je lui ai demandé aussi une betterave . . . comme objet d'art. . . Il faut savoir prendre les masses.
10 (*Embarrassé de son chou et de sa betterave.*) C'est très lourd, ces machines-là! (*Appelant.*) Jean!

Jean, *entrant par le premier plan à droite.*—Monsieur. . .

Caboussat.—Débarrasse-moi de ça . . . tu mettras le chou dans le pot . . . quant à la betterave, tu la feras
15 cuire; on en fait des ronds, c'est très bon dans la salade.

Jean, *à part, sortant par le fond.*—Voilà monsieur qui fait son marché maintenant.

Caboussat, *seul.*—Tout en promenant mon chou, j'ai réfléchi à ce que m'a dit Machut. . . Je serais maire, le
20 premier magistrat d'Arpajon! (*Tristement.*) Mais non! ça ne se peut pas! . . . Je suis riche, considéré, adoré . . . et une chose s'oppose à mes projets . . . la grammaire française! . . . Je ne sais pas . . . (*regardant autour de lui avec inquiétude*) je ne sais pas l'orthographe! Les par-
25 ticipes surtout, on ne sait par quel bout les prendre . . . tantôt ils s'accordent, tantôt ils ne s'accordent pas . . . quels fichus caractères! Quand je suis embarrassé, je fais un pâté . . . mais ce n'est pas de l'orthographe! Lorsque je parle, ça va très bien . . . ça ne se voit pas . . .
30 j'évite les liaisons. . . A la campagne, c'est prétentieux . . . et dangereux . . . je dis: «Je suis allé. . .» (*Il prononce*

sans lier l's avec l'a.) Ah! dame! de mon temps on ne moisissait pas dans les écoles . . . j'ai appris à écrire en vingt-six leçons, et à lire . . . je ne sais pas comment . . . puis je me suis lancé dans le commerce des bois de charpente . . . je cube, mais je ne rédige pas. . . (*Regardant autour de lui*) pas même les discours que je prononce . . . des discours étonnants! . . . Arpajon m'écoute la bouche ouverte . . . comme un imbécile! . . . On me croit savant . . . j'ai une réputation . . . mais grâce à qui? grâce à un ange. . .

SCÈNE VI

CABOUSSAT, BLANCHE, *revenant par le premier plan à droite.*

BLANCHE, *paraissant.*—Papa. . .

CABOUSSAT, *à part.*—Le voici! voici l'ange!

BLANCHE, *tenant un papier.*—Je te cherchais pour te remettre le discours que tu dois prononcer au comice agricole.

CABOUSSAT.—Si je suis réélu. . . Tu l'as revu?

BLANCHE.—Recopié seulement.

CABOUSSAT.—Oui . . . comme les autres . . . (*L'embrassant.*) Ah! chère petite . . . sans toi! (*Dépliant le papier.*) Comment trouves-tu le commencement?

BLANCHE.—Très beau!

CABOUSSAT, *lisant.*— «Messieurs et chers collègues, l'agriculture est la plus noble des professions» . . . (*S'arrêtant.*) Tiens! tu as mis deux s à profession?

BLANCHE.—Sans doute. . .

CABOUSSAT, *l'embrassant.*—Ah! chère petite! . . . (*A part.*) Moi, j'avais mis un t tout simplement. (*Lisant.*) «La plus noble des professions.» (*Parlé.*) Avec deux s. (*Lisant.*) «J'ose le dire, celui qui n'aime pas la terre,

celui dont le cœur ne bondit pas à la vue d'une charrue,
celui-là ne comprend pas la richesse des nations!» ...
(*S'arrêtant.*) Tiens, tu as mis un *t* à nations?

BLANCHE.—Toujours.

5   CABOUSSAT, *l'embrassant.*—Ah! chère petite!... (*A
part.*) Moi, j'avais mis un *s* ... tout simplement!... les
t, les *s* ... jamais je ne pourrai retenir ça! (*Lisant.*) «La
richesse des nations» ... (*Parlé.*) Avec un *t*...

BLANCHE.—*tout à coup.*—Ah! papa, tu ne sais pas?...
10 Monsieur Poitrinas vient d'arriver.

CABOUSSAT.—Comment! Poitrinas d'Étampes! (*A
part.*) Un vrai savant, lui! (*Haut.*) Où est-il, ce cher ami?
(*Poitrinas paraît.*)

SCÈNE VII

15   CABOUSSAT, BLANCHE, POITRINAS

CABOUSSAT, *allant vers Poitrinas.*—Ah! cher ami! quelle
heureuse visite! (*Ils se serrent la main.*)

POITRINAS, *revenant par le premier plan à droite.*—Il y
a longtemps que je désirais explorer votre canton au
20 point de vue archéologique. (*Blanche remonte à la table,
premier plan à droite.*)

CABOUSSAT.—Ah! oui, les petits pots cassés! ça vous
amuse toujours?

POITRINAS.—Toujours!... Je voulais aussi vous parler
25 d'une affaire ... d'une grande affaire...

BLANCHE, *à part.*—La demande! (*Haut.*) Je vous
laisse ... (*A Poitrinas, très aimable.*) J'espère, monsieur,
que vous passerez quelques jours avec nous?

POITRINAS.—Je n'ose vous le promettre... Cela dé-
30 pendra de mes fouilles... Si je trouve ... je reste.

BLANCHE.—Vous trouverez ... espérons-le. (*Elle sort
par le premier plan à droite.*)

SCÈNE VIII

Caboussat, Poitrinas

Caboussat.—N'est-ce pas qu'elle est gentille, ma petite Blanche?

Poitrinas.—Charmante! et c'est avec bonheur que . . . 5
mais plus tard. . . Mon ami, je vous apporte une nouvelle . . . considérable. . .

Caboussat.—A moi?

Poitrinas.—Vous venez d'être nommé, sur ma recommandation, membre correspondant de l'Académie 10 d'Étampes.

Caboussat, *à part.*—Académicien! . . . Il me fourre dans l'Académie!

Poitrinas.—Vous pourrez nous être fort utile.

Caboussat.—Comment? 15

Poitrinas.—Vous surveillerez les fouilles que je vais entreprendre dans ce pays; vous relèverez les inscriptions latines et vous nous enverrez des rapports.

Caboussat, *effrayé.*—En latin?

Poitrinas, *mystérieusement.*—Chut! . . . Je soupçonne 20 aux environs d'Arpajon la présence d'un camp de César. . . N'en parlez pas!

Caboussat.—Soyez tranquille!

Poitrinas.—Mais je suis venu encore pour un autre motif. . . Mon fils Edmond a vu cet été mademoiselle 25 Blanche à Étampes. . . Il a conçu pour elle un sentiment ardent, mais honorable . . . et je profite de l'occasion de mes fouilles pour vous faire une ouverture de mariage.

Caboussat.—Mon Dieu! . . . je ne dis pas non . . . mais je ne dis pas oui. . . Il faut que je consulte ma 30 fille. . .

Poitrinas.—C'est trop juste . . . Edmond est un bon jeune homme, affectueux, rangé, jamais de liqueurs . . .

excepté dans son café . . . cent trente mille francs de dot. . .

Caboussat.—C'est à peu près ce que je donne à Blanche.

5 Poitrinas.—Mais avant tout, il faut être franc . . . Edmond a un défaut . . . un défaut qui est presque un vice. . .

Caboussat.—Ah! diable! . . . lequel?

Poitrinas.—Eh bien! sachez . . . non! . . . je ne puis
10 pas! . . . moi, président de l'Académie d'Étampes. (*Lui tendant une lettre.*) Tenez, lisez. . . Une lettre qu'il m'a adressée il y a huit jours . . . et que je vous soumets avec confusion.

Caboussat.—Vous m'effrayez! . . . voyons. (*Lisant.*)
15 «Mon cher papa, il faut que je te fasse un aveu dont dépend le bonheur de toute ma vie. . .»

Poitrinas, *à part.*—Dépend avec un *t* . . . le misérable!

Caboussat, *lisant.*— «J'aime mademoiselle Blanche d'un amour insensé, depuis que je l'ai vue. . .»
20 Poitrinas, *à part.*—Vu . . . sans *e* . . . le régime est avant, animal!

Caboussat, *lisant.*— «Je ne mange plus, je ne dors plus. . .»

Poitrinas, *à part.*—Dors . . . il écrit ça comme dorer!
25 Caboussat, *lisant.*— «Son image emplit ma vie et trouble mes rêves. . .»

Poitrinas, *à part.*—Rêves . . . *r-a-i* . . . (*Haut.*) C'est atroce, n'est-ce pas?

Caboussat.—Quoi?
30 Poitrinas.—Enfin, je devais vous le dire; maintenant vous le savez.

Caboussat.—Je sais qu'il adore ma fille.

Poitrinas.—Oui, mais contre toutes les règles. . . Voyez, décidez. . . Je vais faire une petite inspection dans votre jardin . . . il m'a semblé reconnaître un renflement de terrain . . . ça sent le romain. . . A bientôt. (*Il sort par le fond.*)

SCÈNE IX

CABOUSSAT, *puis* BLANCHE 5

CABOUSSAT, *mettant la lettre dans sa poche.*—De quel diable de défaut a-t-il voulu me parler? (*Blanche paraît habillée.*) Tiens! tu as fait toilette? . . . tu vas sortir?

BLANCHE, *revenant par le premier plan à droite.*—Oui, je dois, depuis longtemps, une visite à notre voisine, 10 madame de Vercelles. . . C'est une famille très influente et très portée pour ton élection . . . je prendrai la voiture.

CABOUSSAT.—Un mot seulement . . . Blanche, as-tu quelquefois songé à te marier?

BLANCHE, *sournoisement.*—Moi? . . . jamais, papa! 15

CABOUSSAT.—Enfin, s'il se présentait un parti honorable . . . un bon jeune homme . . . affectueux, rangé . . . jamais de liqueurs . . . excepté dans son café. . .

BLANCHE, *à part.*—Monsieur Edmond!

CABOUSSAT.—Éprouverais-tu quelque répugnance? 20

BLANCHE, *vivement.*—Oh! non! . . . c'est-à-dire . . . je ferai tout ce que tu voudras.

CABOUSSAT.—Moi, je désire que tu sois heureuse . . . c'est bien le moins . . . après ce que tu fais pour moi . . .

BLANCHE.—Quoi donc? 25

CABOUSSAT.—Eh bien! . . . (*Regardant autour de lui.*) Mes discours, mes lettres. . .

BLANCHE, *avec embarras.*—Je les recopie.

CABOUSSAT.—Oui . . . c'est convenu . . . nous ne devons pas en parler . . . (*Il l'embrasse au front.*) Va . . . et 30 reviens bien vite. (*Blanche sort par le fond.*)

SCÈNE X

CABOUSSAT, *puis* JEAN, *puis* POITRINAS

CABOUSSAT, *seul.*—Ah çà! j'ai un invité, il faut que je songe au dîner . . . un académicien, ça doit aimer les
5 petits plats . . . (*Appelant.*) Jean!

JEAN, *entre par le pan coupé à droite, et traverse.*—Monsieur?

CABOUSSAT.—Qu'est-ce que nous avons pour dîner?

JEAN.—Monsieur . . . il y a le chou . . . ensuite la bet-
10 terave . . .

CABOUSSAT.—Je ne te parle pas de ça, imbécile!

JEAN.—Dame! puisque monsieur fait son marché lui-même . . . monsieur se méfie . . .

POITRINAS, *entrant triomphant par le fond; il porte un*
15 *fragment de cuisinière plein de terre et une vieille broche rouillée.*—Je suis venu, j'ai fouillé, j'ai trouvé!

CABOUSSAT.—Qu'est-ce que c'est que ça?

POITRINAS.—Un bouclier romain . . . *scutum* . . . le bouclier long, vous savez . . .

20 CABOUSSAT.—Oui . . .

POITRINAS.—*Clypeus* . . . c'est le bouclier rond . . .

JEAN, *bas à Caboussat.*—Monsieur, c'est notre vieille cuisinière qui était percée . . .

CABOUSSAT.—Parbleu! je l'ai bien reconnue!

25 POITRINAS, *brandissant la broche.*—Maintenant voici le *gladium* . . . l'épée du centurion . . . pièce extrêmement rare . . .

JEAN, *bas à Caboussat.*—C'est notre broche cassée . . .

CABOUSSAT, *à part.*—Cet homme-là trouverait du
30 romain dans une allumette chimique! (*Poitrinas est allé déposer les objets dont il a parlé sur la table au fond et revient au milieu.*)

Poitrinas, *enthousiasmé.*—Mon ami, j'ai découvert un tumulus au fond du jardin!

Jean, *à part, inquiet.*—Comment! au fond du jardin?

Poitrinas.—Je suis en nage . . . c'est la joie . . . et la pioche . . . (*A Jean.*) Tu vas aller me chercher tout de suite deux sous de blanc d'Espagne . . . tu le passeras dans un tamis et tu me l'apporteras dans une terrine.

Caboussat.—Qu'est-ce que vous voulez faire de ça?

Poitrinas.—Je veux nettoyer ces fragments . . . j'espère y découvrir quelques inscriptions . . . (*A Jean.*) Va!

Jean.—Tout de suite. (*A part.*) Ça, c'est un marchand de vieilles ferrailles! (*Il sort.*)

Poitrinas.—A propos, avez-vous parlé à votre fille du mariage?

Caboussat.—Je lui en ai touché un mot . . . la proposition n'a pas déplu.

Poitrinas.—Et le défaut, le lui avez-vous confié?

Caboussat.—Pas encore . . . je cherche un biais.

Poitrinas.—C'est horrible, n'est-ce pas? . . . Je retourne là-bas . . . ça embaume le romain! (*Il sort par le fond.*)

SCÈNE XI

Caboussat, *puis* Machut

Caboussat, *seul.*—Il commence à m'inquiéter avec ce défaut . . . qui est presque un vice! . . . je ne serais pourtant pas fâché de le connaître.

Machut, *paraissant au fond, très animé et parlant à la cantonade.*—C'est une calomnie . . . et je le prouverai!

Caboussat.—Machut! . . . à qui en as-tu donc?

MACHUT.—C'est monsieur Chatfinet, votre concurrent ... qui fait courir sur mon compte un bruit
infâme!

CABOUSSAT.—Un bruit ... infâme! (*Il ne fait pas sentir*
5 *la liaison.*)

MACHUT.—Il prétend que j'ai tué votre vache.

CABOUSSAT.—Mais c'est faux ... puisqu'elle était
morte avant ton arrivée.

MACHUT.—Eh bien, écrivez-moi ça sur un bout de
10 papier, pour que je le confonde, cet animal-là!

CABOUSSAT.—Écrire, moi? ... (*A part.*) Et ma fille
qui n'est pas là! (*Haut.*) Mon ami, il est des injures
auxquelles un homme qui se respecte ne doit répondre
que par le silence et le mépris.

15 MACHUT.—Oui, mais moi, je préfère l'aplatir ... Vite!
écrivez-moi un mot...

CABOUSSAT.—Tu n'y penses pas ... j'aurais l'air de te
donner un certificat.

MACHUT.—Précisément, voilà ce que je veux...

20 CABOUSSAT.—Non ... je ne peux pas ... c'est impossible...

MACHUT.—Comment! vous me refusez? ... vous refusez de dire la vérité? ... moi qui, depuis huit jours,
piétine dans les campagnes pour vous ramasser des
25 voix...

CABOUSSAT.—Tu as raison ... ce certificat, je te le
donnerai.

MACHUT.—Ah!

CABOUSSAT.—Plus tard ... demain.

30 MACHUT.—Tout de suite... Les électeurs sont as-
semblés, et je veux le faire lire à tout le monde.

CABOUSSAT, *à part.*—A tout le monde! ... Et ma fille
qui n'est pas là!

MACHUT.—Il s'agit de ma réputation, de mon honneur
35 de vétérinaire... Si je ne démens pas sur-le-champ un

pareil bruit, mon état est perdu; je suis ruiné, obligé de quitter le pays . . . (*Avec attendrissement.*) Songez que j'ai une femme et cinq enfants.

CABOUSSAT, *faiblissant, à part.*—Le fait est qu'il a cinq enfants. . .

MACHUT, *préparant le papier sur la table.*—Voyons . . . mettez-vous là. . . Il vous est si facile de griffonner deux lignes, à vous, un savant. (*Il le fait passer à la table, premier plan.*)

CABOUSSAT, *s'asseyant.*—Deux lignes . . . seulement?

MACHUT.— «Je certifie que ma vache était déjà morte quand le sieur Machut s'est présenté chez moi». . . Ce n'est pas long.

CABOUSSAT.—C'est vrai. (*A part.*) Après ça, en m'appliquant et en faisant des pâtés . . . (*Il se met à la table et écrit.*) «Je certifie» . . . (*A part.*) f . . . i . . . fi . . . non! je crois qu'il faut un *t* à la fin. . . Ces diables de *t* . . . Bah! je vais faire un pâté! (*Il continue à écrire.*)

MACHUT.—Ah! nous allons voir un peu le nez que fera monsieur Chatfinet!

CABOUSSAT, *se levant et lui remettant le papier.*—Voilà, mon ami. . . Il y a quelques pâtés par-ci par-là . . . mais j'ai une mauvaise plume.

MACHUT.—Ça n'y fait rien, avec un pareil papier, je suis tranquille. . .

CABOUSSAT, *à part.*—Oui . . . mais moi, je ne le suis pas. . .

SCÈNE XII

LES MÊMES, BLANCHE

BLANCHE, *paraissant au fond.*—Me voici de retour.

CABOUSSAT.—Ah! tu arrives bien tard . . . je viens d'écrire un certificat . . . moi-même.

BLANCHE, *effrayée*.—Comment?

MACHUT, *montrant le papier*.—Le voici; je vais le montrer à tout le monde . . . (*Il met la lettre dans sa poche de redingote et cherche son chapeau.*)

5 CABOUSSAT, *bas à sa fille*.—Tu n'étais pas là. . .

BLANCHE, *bas à son père*.—A tout prix, il faut ravoir cette lettre!

CABOUSSAT.—Oui, mais comment?

BLANCHE, *à part*.—Elle est dans la poche de sa redin-
10 gote. . .

SCÈNE XIII

LES MÊMES, JEAN

JEAN, *entrant avec une terrine pleine de blanc d'Espagne, par le pan coupé gauche*.—Voilà le blanc d'Espagne.

15 BLANCHE, *à part*.—Oh! (*Bas à Jean.*) Jette tout cela sur Machut.

JEAN, *étonné*.—Hein! plaît-il?

BLANCHE, *bas*.—Va donc!

JEAN, *à part*.—Je veux bien, moi! (*Il passe entre
20 Machut et Caboussat, et renverse la terrine sur la redingote de Machut.*)

MACHUT.—Ah! sapristi!

BLANCHE, *marchant sur Jean*.—Maladroit!

CABOUSSAT.—Imbécile!

25 JEAN.—Mais c'est mamzelle qui m'a dit. . .

BLANCHE.—Moi?

CABOUSSAT.—Tais-toi, animal! butor!

JEAN, *se sauvant par la porte de droite*.—Je vais chercher une brosse!

30 CABOUSSAT, *à Machut*.—Vite! ôtez votre redingote!

MACHUT.—Merci! ce n'est pas la peine. . .

BLANCHE.—Si!

CABOUSSAT, *exaspéré.*—Mais ôtez donc votre redingote! (*Il le dépouille, aidé de sa fille.*)

BLANCHE, *se sauvant avec la redingote.*—Un coup de brosse . . . je reviens. (*Elle sort vivement par le premier plan gauche.*)

SCÈNE XIV

CABOUSSAT, MACHUT, *puis* JEAN, *puis* POITRINAS

MACHUT.—Vraiment, c'est trop d'obligeance! . . . quand je pense que mademoiselle Blanche va brosser elle-même. . .

CABOUSSAT.—Oui, nous sommes comme ça. . .

MACHUT, *à part.*—On voit bien que c'est le jour des élections. . .

JEAN, *entrant vivement par la porte de droite.*—Voilà la brosse! (*Il brosse la chemise de Machut, par inadvertance.*)

MACHUT, *le repoussant.*—Aïe! tu me piques avec ta brosse!

POITRINAS, *entrant par le fond, avec des fragments de vaisselle cachés dans un mouchoir.*—Ah! mes enfants! . . . quelle chance! . . . quelle émotion! . . . J'ai mis à jour un tumulus . . . sous l'abricotier.

JEAN, *à part.*—Ma cachette!

POITRINAS, *tirant du mouchoir un morceau de porcelaine dorée.*—Examinez d'abord ceci!

JEAN, *à part.*—Ah! saperlotte! le saladier doré!

CABOUSSAT.—Hein! (*Regardant Jean.*) Mais je reconnais ça!

POITRINAS.—Le chiffre est dessus . . . un F et un C.

CABOUSSAT, *à part.*—François Caboussat.

POITRINAS.—Fabius Cunctator! c'est signé!

Caboussat, *faisant de gros yeux à Jean.*—Qui est-ce qui a cassé ça?

Poitrinas.—Les Romains, parbleu!

Jean.—C'est les Romains!... Ah! il est embêtant, il
5 déterre tout ce que je casse! (*Il sort par le pan coupé gauche.*)

Poitrinas, *tirant un fragment de vase.*—Voici un autre fragment... Savez-vous ce que c'est que ça...

Machut, *s'approchant.*—Voyons... (*Se reculant tout
10 à coup.*) Je connais ça.

Caboussat, *même jeu.*—Moi aussi!... (*A part.*) Pourquoi nous apporte-t-il cela ici?

Poitrinas.—Très rare! C'est un lacrymatoire... de la décadence.

15 Caboussat.—Ça?... (*A part.*) Au fait, à quoi bon le détromper... ça lui fait plaisir...

Poitrinas.—Quand les Romains perdaient un membre de leur famille, c'est là-dedans qu'ils épanchaient leur douleur...

20 Machut.—Vraiment? Singulier peuple! (*Poitrinas remonte au fond et range tous ses fragments sur le buffet.*)

Jean, *revenant par le pan coupé gauche, à Machut.*—Voici votre redingote.

Machut, *l'endossant.*—Merci... (*Se fouillant.*) Ai-je
25 bien ma lettre? (*Il la tire.*) Oui, la voilà!...

Caboussat, *à part.*—L'écriture de Blanche!... Je suis sauvé!

Machut.—Je vous quitte... je vais aux élections... je reviendrai vous en donner des nouvelles. (*Il sort par le
30 fond.*)

Caboussat, *bas à Jean.*—A nous deux maintenant!

Jean, *craintif.*—Monsieur?

Caboussat.—Ici! ici!

Jean, *s'approchant.*—Voilà.

Caboussat.—M'expliqueras-tu maintenant comment le saladier doré...

Jean.—Pardon... on m'attend pour fendre du bois. (*Il sort vivement par le pan coupé gauche.*)

SCÈNE XV

Caboussat, Poitrinas, *puis* Blanche

Poitrinas, *au fond, rangeant sur le buffet.*—Un morceau de verre!... du verre!

Caboussat, *à part.*—Bien! ma carafe!

Poitrinas, *descendant.*—Et il y a des ânes qui prétendent que les Romains ne connaissaient pas le verre!... et taillé! Je vais leur décocher un mémoire.

Caboussat.—Et vous ferez bien!

Poitrinas.—Mon ami, je vous dois un des plus beaux jours de ma vie... et je veux, sans tarder, faire connaître à mes collègues... (*Se reprenant.*) à nos collègues de l'Académie d'Étampes ce grand fait archéologique...

Caboussat.—C'est une bonne idée.

Poitrinas.—Je vais les prier de nommer une sous-commission pour continuer les fouilles dans votre jardin.

Caboussat.—Ah! mais non!

Poitrinas.—Au nom de la science! vite! une plume... de l'encre. (*Il passe à la table, premier plan à droite.*)

Caboussat.—Tenez... là!... sur mon bureau. (*Il l'installe à son bureau.*)

Poitrinas.—Ah! vous vous servez de plumes d'oie?...

Caboussat.—Toujours! (*Avec importance.*) Une habitude de quarante années!

Poitrinas.—Elle est trop fendue... Vous n'auriez pas un canif?

Caboussat, *lui donnant un canif.*—Si... voilà.

POITRINAS, *tout en taillant sa plume.*—Ah! les Romains ne connaissaient pas le verre! (*Poussant un cri.*) Aïe!

CABOUSSAT.—Quoi?

POITRINAS.—Je me suis coupé!

5 CABOUSSAT.—Attendez . . . dans le tiroir . . . un chiffon . . . (*Il lui emmaillotte le doigt.*)

POITRINAS.—Merci . . . maintenant je vais vous demander un service.

CABOUSSAT.—Lequel?

10 POITRINAS.—C'est de tenir la plume à ma place; je vais dicter.

CABOUSSAT, *à part.*—Diable! (*Haut.*) Mais . . . c'est que. . .

POITRINAS.—Quoi?

15 CABOUSSAT.—Écrire à une académie. . .

POITRINAS.—Puisque vous êtes membre correspondant . . . c'est pour correspondre. . .

CABOUSSAT, *va s'asseoir à la table.*—C'est juste! (*A part, s'asseyant au bureau.*) Ils ont tous la rage de me 20 faire écrire aujourd'hui . . . et ma fille qui n'est pas là!

POITRINAS.—Y êtes-vous?

CABOUSSAT.—Un moment! (*A part.*) Peut-être qu'avec beaucoup de pâtés. . .

POITRINAS, *dictant.*— «Messieurs et chers collègues . . . 25 l'archéologie vient de s'enrichir. . .»

CABOUSSAT, *à part.*—Allons, bon! voilà qu'il me flanque des mots difficiles . . . Archéologie!

POITRINAS.—Vous y êtes?

CABOUSSAT.—Attendez . . . (*A part.*) Archéologie . . . 30 est-ce q-u-é qué? ou k-é? Oh! une idée! (*Il prend le canif et taille sa plume.*)

POITRINAS, *dictant.*— «Vient de s'enrichir, grâce à mes infatigables travaux. . .»

CABOUSSAT, *poussant un cri.*—Aïe!

35 POITRINAS.—Quoi?

CABOUSSAT.—Je me suis coupé... Donnez-moi du chiffon dans le tiroir. (*Poitrinas ouvre le tiroir et y prend un chiffon.*)

POITRINAS.—En voilà... Attendez... je vais à mon tour... (*Il lui emmaillotte le doigt.*) 5

CABOUSSAT, *à part, agitant son doigt emmaillotté.*—Ça y est!... je suis sauvé!

POITRINAS, *agitant aussi son doigt.*—C'est désolant... Enfin, j'écrirai demain.

CABOUSSAT.—Voulez-vous que j'appelle ma fille? Elle 10 rédige comme Noël et Chapsal.

POITRINAS, *soupirant.*—Ah! vous êtes un heureux père, vous! Croyez-vous qu'elle consente à accepter mon fils?

CABOUSSAT.—Pourquoi pas?

POITRINAS.—Excusez-moi... c'est un petit détail de 15 ménage... mais je désirerais avoir une prompte réponse... parce qu'il y a, sur le cours, à Étampes, une maison charmante qui sera libre à la Toussaint...

CABOUSSAT.—Eh bien?

POITRINAS.—Je la louerais pour le jeune ménage. 20

CABOUSSAT.—Comment! ma fille habiterait Étampes?

POITRINAS.—Sans doute: la femme suit son mari.

CABOUSSAT, *à part.*—Ah! mais non! ça ne me va pas! mon orthographe serait à Étampes et moi à Arpajon! ça ne se peut pas! 25

BLANCHE, *paraissant par la porte, premier plan à gauche.*—Je vous dérange?...

POITRINAS.—Je vous laisse, mademoiselle; je viens de prier monsieur votre père de vous faire une communication... considérable... 30

BLANCHE.—Ah!

POITRINAS.—Et je serais bien heureux de vous la voir agréer.

UNE VOIX, *en dehors.*—Monsieur Poitrinas! monsieur Poitrinas! 35

POITRINAS.—C'est votre jardinier que j'ai chargé d'un nouveau sondage sous le prunier. (*Saluant Blanche.*) Mademoiselle . . . (*Il sort par le fond.*)

SCÈNE XVI

CABOUSSAT, BLANCHE

CABOUSSAT, *à part.*—Décidément ce jeune homme-là ne nous convient pas du tout. . . D'abord, il a un défaut. . . Je ne sais pas lequel . . . mais c'est presque un vice.

BLANCHE.—Eh bien, papa . . . et cette communication?

CABOUSSAT.—Voilà ce que c'est . . . une bêtise . . . un enfantillage . . . Poitrinas ne s'est-il pas mis dans la tête de te marier à son fils Edmond. . .

BLANCHE.—Ah! vraiment?

CABOUSSAT.—Tu ne le connais pas . . . je vais te le dépeindre. . . Ce n'est pas un mauvais sujet . . . mais il est chauve, myope, petit, commun . . . avec un gros ventre. . .

BLANCHE.—Mais, papa. . .

CABOUSSAT.—Ce n'est pas pour t'influencer . . . car tu es parfaitement libre. . . De plus, il lui manque trois dents . . . par devant.

BLANCHE.—Oh! par exemple!

CABOUSSAT.—De plus . . . il a un défaut . . . un défaut énorme . . . qui est presque un vice. . .

BLANCHE, *effrayée.*—Un vice, monsieur Edmond!

CABOUSSAT, *tirant la lettre remise par Poitrinas.*—Attends! je l'ai là, dans ma poche . . . Écoute et frémis! (*A part.*) Elle trouvera peut-être le défaut, elle! (*Lisant.*)
«Mon cher papa, il faut que je te fasse un aveu . . . dont dépend le bonheur de toute ma vie . . . j'aime mademoiselle Blanche d'un amour insensé. . .»

BLANCHE, *à part, touchée.*—Ah! qu'il est bon!

CABOUSSAT, *lisant.*— «Depuis que je l'ai vue, je **ne** mange plus, je ne dors plus. . .»

BLANCHE, *à part.*—Pauvre garçon!

CABOUSSAT.—Le trouves-tu? 5

BLANCHE.—Non!

CABOUSSAT, *à part.*—Alors, c'est plus loin. (*Lisant.*) «Son image emplit ma vie. . .» (*Parlé.*) C'est atroce, n'est-ce pas?

BLANCHE.—Oh! c'est bien doux, au contraire! 10

CABOUSSAT.—Comment, doux!. . . (*Mettant vivement la lettre dans sa poche.*) J'étais sûr que ce mariage ne te conviendrait pas!

BLANCHE.—Mais, papa. . .

SCÈNE XVII 15

LES MÊMES, POITRINAS, *revenant par le fond.*

POITRINAS, *paraissant.*—On a abattu un prunier . . . mais il n'y avait rien dessous!

CABOUSSAT.—Mon prunier! que diable!

POITRINAS, *à Blanche.*—Eh bien, mademoiselle, quelle 20 réponse dois-je porter à mon fils?

BLANCHE.—Mon Dieu, monsieur. . .

CABOUSSAT, *bas à Blanche.*—Laisse-moi répondre . . . (*à Poitrinas.*) J'ai le regret, mon cher ami, de vous annoncer qu'il nous est impossible de passer par-dessus le 25 défaut. . .

POITRINAS.—Je vous comprends. . . Je m'y attendais. . .

CABOUSSAT, *à sa fille.*—Tu vois. . . Monsieur s'y attendait. . . 30

POITRINAS.—Mais ne m'ôtez pas tout espoir . . . et

promettez-moi . . . qu'un jour . . . si, par impossible, Edmond parvenait à se faire recevoir bachelier. . .

CABOUSSAT.—Oh! alors!. . .

BLANCHE.—Bachelier?

5 POITRINAS.—Nous nous comprenons. . . Je vais refermer ma valise et repartir immédiatement. (*Il remonte.*)

BLANCHE, *à Caboussat.*—Comment!

POITRINAS, *redescendant.*—J'ai hâte de reporter cette mauvaise nouvelle à mon fils. (*Blanche remonte à la table*
10 *du premier plan et s'assied.*) Mais j'ai encore une prière à vous adresser. . . Voulez-vous me permettre d'emporter ces fragments d'un autre âge?

CABOUSSAT.—Faites donc!. . . puisque c'est cassé. . .

POITRINAS.—Je m'engage à les déposer au musée
15 d'Étampes, avec cette inscription: CABOUSSAT DONAVIT. (*Il a été prendre les objets sur la table du fond.*)

CABOUSSAT.—Vous êtes bien bon!

POITRINAS, *entrant dans sa chambre.*—Je vais boucler ma valise. (*Il sort par la porte latérale à droite.*)

20 SCÈNE XVIII

CABOUSSAT, BLANCHE, *puis* MACHUT, *puis* JEAN

(*Blanche s'est assise devant le bureau et met ses mains devant ses yeux.*)

CABOUSSAT.—Allons! voilà une affaire terminée!. . .
25 Es-tu contente?. . . Comment! tu pleures!. . . Qu'as-tu donc?

BLANCHE, *se lève et traverse devant son père.*—Je crois bien! vous calomniez monsieur Edmond! Il n'est pas myope; il est grand, distingué, spirituel. . .

30 CABOUSSAT.—Tu le connais donc?

Blanche.—Nous avons dansé ensemble cet été.

Caboussat.—Ah! diable! . . . et . . . et il ne te déplaît pas, ce jeune homme?

Blanche, *baissant la tête.*—Pas beaucoup.

Caboussat. *à part.*—Elle l'aime! pauvre petite! . . . 5
que j'ai fait pleurer!

Machut, *entrant, un bouquet à la main, par le fond.*—
Vous êtes nommé . . . Chatfinet n'a eu qu'une voix . . . la
sienne . . . (*Caboussat ne répond pas.*) Ça n'a pas l'air de
vous faire plaisir. . . 10

Caboussat, *préoccupé.*—Si . . . si . . . beaucoup. . .

Machut.—A la bonne heure! . . . (*Appelant.*) Jean! . . .
Je lui ai dit de préparer deux paniers de vin.

Caboussat.—Pour quoi faire?

Machut.—Pour arroser la classe agricole . . . c'est 15
l'usage! . . . (*Appelant.*) Jean! Jean! du liquide!

Jean, *entrant avec deux paniers de vin par le pan coupé
à droite.*—Voilà! voilà! (*Bas à Machut.*) J'ai fourré une
bouteille de bordeaux pour les gens de la maison.

Machut, *lui prenant un panier.*—Allons! en route! 20
(*Il sort avec Jean par le fond.*)

Caboussat, *à part.*—Ma pauvre petite Blanche . . . il
n'y a pas à hésiter. (*Il s'assoit devant le bureau et prend
la plume.*)

Blanche, *à part, étonnée.*—Comment! il écrit . . . tout 25
seul! (*Elle s'approche doucement de son père, de façon à
lire ce qu'il écrit par-dessus son épaule.*

Caboussat, *écrivant.*—«Arpajonais . . . je donne ma
démission. . . »

Blanche.—Par exemple! (*Elle prend le papier et le* 30
déchire.)

Caboussat.—Que fais-tu?

Blanche, *bas.*—Démission prend deux *s*!

Caboussat, *se levant.*—J'ai encore mis un *t* . . . (*A*

part.) Je ne peux pas même donner ma démission sans ma fille! (*On entend la voix de Poitrinas dans la coulisse.*) Lui!

BLANCHE.—Je me retire.

5　CABOUSSAT.—Non . . . reste!

SCÈNE XIX

LES MÊMES, POITRINAS

POITRINAS, *avec sa valise et ses objets.*—Mon cher collègue, avant de prendre congé de vous. . .

10　CABOUSSAT, *lui prenant sa valise.*—Mon ami, souvent femme varie. . . Je viens de causer longuement avec ma fille . . . nous avons pesé le pour et le contre . . . et j'ai la satisfaction de vous apprendre qu'elle consent à épouser votre fils Edmond. (*Poitrinas laisse tomber ce qu'il porte*
15　*sur les pieds de Caboussat.*)

POITRINAS, *à Blanche.*—Ah! mademoiselle! que je suis heureux! Je vais tout de suite louer la petite maison d'Étampes.

BLANCHE.—Quelle maison?

20　CABOUSSAT, *tristement.*—Celle que tu vas habiter avec ton mari.

BLANCHE, *à part.*—Ah! pauvre père! et ses discours! (*Haut, à Poitrinas.*) Monsieur Poitrinas, il y a une condition dont mon père a oublié de vous parler.

25　POITRINAS.—Laquelle, mademoiselle?

BLANCHE.—A aucun prix et sous aucun prétexte, je ne consentirai à quitter Arpajon.

CABOUSSAT, *bas, serrant la main de sa fille.*—Ah! chère petite!

30　POITRINAS.—Je le comprends . . . c'est une ville si riche au point de vue archéologique. . . Ce ne sera pas un obstacle ... nous vous demandons seulement de venir passer deux mois par an à Étampes.

BLANCHE, *regardant son père.*—C'est que ... deux mois. . .

CABOUSSAT, *bas à sa fille.*—Accepte, je m'arrangerai. 5 (*A part.*) J'ai un moyen, je me couperai ... (*Haut.*) C'est convenu.

POITRINAS, *à Blanche.*—Que vous êtes bonne d'avoir bien voulu passer par-dessus le défaut d'Edmond!

BLANCHE.—Mais quel défaut? 10

POITRINAS, *à Caboussat.*—Comment! vous n'avez donc pas dit?

CABOUSSAT.—Non! ... le courage m' a manqué ... dites-le, vous! (*A part.*) Comme ça nous allons le connaître. 15

POITRINAS, *à Blanche.*—Mon fils est un bon jeune homme, affectueux, rangé, jamais de liqueurs, excepté dans son café. . . Mais il n'a jamais pu faire accorder les participes.

CABOUSSAT.—Ce n'est que cela! mais nous ne sommes 20 pas des participes ... pourvu que nous nous accordions.

BLANCHE.—D'ailleurs il suffira de quelques leçons ... mon père connaît quelqu'un qui s'en chargera.

CABOUSSAT, *à part.*—Un élève de plus! ... Elle sera la grammaire de la famille. 25

EUGÈNE LABICHE

Marianne s'en va-t-au moulin

Délicatement

Voix

Piano

Ma - ri- ann' s'en va-t-au mou-lin, Ma - ri - ann' s'en va-

t-au mou-lin, C'est pour y fair' mou- dre son grain; C'est

pour y fair' mou—dre son grain; _____ A

che — val sur son â — — ne, Ma p'tit' mam-zell' Ma-

rian — ne, A che — val sur son â — ne Ca — tin, _____

S'en al - lant au ——— mou - lin.

Le meunier, qui la voit venir, *bis*
S'empresse aussitôt de lui dire: *bis*
   Attachez-donc votre âne,
Ma p'tit' mamzell' Marianne,
Attachez-donc votre âne Catin,
   Par derrièr' le moulin.

Pendant que le moulin marchait, *bis*
Le loup tout à l'entour rôdait. *bis*
   Le loup a mangé l'âne,
Ma p'tit' mamzell' Marianne,
Le loup a mangé l'âne Catin,
   Par derrièr' le moulin.

Mariann' se mit à pleurer. *bis*
Cent écus d'or lui a donnés *bis*
   Pour acheter un âne,
Ma p'tit' mamzell' Marianne,
Pour acheter un âne, Catin,
   En r'venant du moulin.

Son père qui la voit venir *bis*
Ne put s'empêcher de lui dire: *bis*
   Qu'avez-vous fait d'votre âne,
Ma p'tit' mamzell' Marianne,
Qu'avez-vous fait d'votre âne Catin,
   En allant au moulin?

C'est aujourd'hui la Saint-Michel,
     bis
Que tous les ân's changent de poil.
     bis
   J'vous ramèn' le même âne,
Ma p'tit' mamzell' Marianne,
J'vous ramèn' le même âne, Catin,
   Qui m'porta au moulin.

C'est l'aviron qui nous mene

M'en ré - ve - nant _____ de la jo - lie Ro - chel - le,

M'en re - ve - nant _____ de la jo - lie Ro - chel - le,

J'ai ren-con-tré ____ trois jo-lies de-moi-sel-les,

C'est l'a-vi-ron qui nous mè-ne, qui nous mè-ne,

C'est l'a-vi-ron qui nous mène en haut. ____ haut. ____

J'ai point choisi, mais j'ai pris la plus belle; *bis*
J'l'y fis monter derrièr' moi, sur ma selle.
  C'est l'aviron qui nous mène, qui nous mène,
  C'est l'aviron qui nous mène en haut.

J'y fis cent lieues sans parler avec elle; *bis*
Au bout des cent lieues, ell' me d'mandit à boire.
  C'est l'aviron qui nous mène, qui nous mène,
  C'est l'aviron qui nous mène en haut.

Je l'ai menée auprès d'une fontaine; *bis*
Quand ell' fut là, ell' ne voulut point boire.
  C'est l'aviron qui nous mène, qui nous mène,
  C'est l'aviron qui nous mène en haut.

Je l'ai menée au logis de son père; *bis*
Quand ell' fut là, ell' buvait à pleins verres;
  C'est l'aviron qui nous mène, qui nous mène,
  C'est l'aviron qui nous mène en haut.

A la santé de son père et sa mère; *bis*
A la santé d'celui que son cœur aime.
  C'est l'aviron qui nous mène, qui nous mène,
  C'est l'aviron qui nous mène en haut.

Gai lon la, gai le rosier

Par der-rièr' chez ma tan — te Lui ya t-un

bois jo-li, _____ Le ros-si-gnol y

chan - te Et le jour et la nuit.

Gai lon la, _____ gai le ro - sier _____

Du jo - li mois de mai. _____

Le rossignol y chante
  Et le jour et la nuit.
Il chante pour ces belles
  Qui n'ont pas de mari.
Gai lon la, gai le rosier
Du joli mois de mai.

Il ne chant' pas pour moi,
  Car j'en ai-t-un joli,
Il n'est point dans la danse,
  Il est bien loin d'ici.
Gai lon la, gai le rosier
Du joli mois de mai.

Il est dans la Hollande;
  Les Hollandais l'ont pris.
—Que donneriez-vous, belle,
  Qui l'amèn'rait ici?
Gai lon la, gai le rosier
Du joli mois de mai.

Je donnerais Versailles,
  Paris et Saint-Denis,
Et la claire fontaine
  De mon jardin joli.
Gai lon la, gai le rosier
Du joli mois de mai.

Il est né le divin enfant

Il est né, le di-

vin En - fant: Jou - ez, haut-bois, ré - son - nez, mu - set- tes,

Il est né, le di - vin En - fant: Chan-tons tous son a - vè - ne - ment!

1. De - puis plus de qua - tre mille ans, Nous le pro-met-taient les pro- phè- tes,

De- puis plus de qua - tre mille ans, Nous at- ten-dions cet heu-reux temps,

2. Ah! qu'il est beau, qu'il est charmant!
   Ah! que ses grâces sont parfaites!
   Ah! qu'il est beau, qu'il est charmant!
   Qu'il est doux ce divin Enfant!
   Chœur—Il est né, *etc.*

3. Une étable est son logement,
   Un peu de paille est sa couchette,
   Une étable est son logement,
   Pour un Dieu quel abaissement!
   Chœur—Il est né, *etc.*

4. Il veut nos cœurs, il les attend,
   Il veut en faire la conquête;
   Il veut nos cœurs, il les attend:
   Qu'ils soient à lui dès ce moment.
   Chœur—Il est né, *etc.*

5. Partez, ô rois de l'Orient!
   Venez vous unir à nos fêtes;
   Partez, ô rois de l'Orient!
   Venez adorer cet Enfant.
   Chœur—Il est né, *etc.*

6. O Jésus, ô Roi tout-puissant!
   Tout petit enfant que vous êtes,
   O Jésus, ô Roi tout-puissant!
   Régnez sur nous entièrement.
   Chœur—Il est né, *etc.*

Les anges dans nos campagnes

Les an - ges dans nos cam - pa-gnes Ont en-ton-né l'hym-

ne des cieux,   Et l'é - cho de   nos mon - ta - gnes

Re - dit ce chant mé - lo - di - eux: Glo — — — — —

- - - - - - ri - a,   in ex - cel - sis   De - o!

Glo - - - - - - - - - -

- - ri - a   in ex cel sis   De - - - o! _____

Bergers, pour qui cette fête?
Quel est l'objet de tous ces chants?
Quel vainqueur, quelle conquête
Mérite ces cris triomphants?
    Gloria, *etc.*

Ils annoncent la naissance
Du libérateur d'Israël,
Et pleins de reconnaissance
Chantent en ce jour solennel:
    Gloria, *etc.*

Cherchons tous l'heureux village
Qui l'a vu naître sous ses toits;
Offrons-lui le tendre hommage
Et de nos cœurs et de nos voix.
    Gloria, *etc.*

Dans l'humilité profonde
Où vous paraissez à nos yeux,
Pour vous louer, Roi du monde,
Nous redirons ce chant joyeux:
    Gloria, *etc.*

Toujours charmé du mystère
Qu'opère ici-bas votre amour,
Notre bonheur sur la terre
Sera de chanter chaque jour:
    Gloria, *etc.*

Dans cette étable

Moderato

Dans cette é - - ta - - ble, Que Jé - sus est char - mant, Qu'il est ai - ma - ble Dans son a - bais - se - ment. Que d'at - traits à la

fois! _____ Non, les pa- lais des rois _____ N'ont

rien de com- pa- ra- ble Aux beau- tés

que je vois Dans cette é - ta ____ ble.

Que sa puissance
Paraît bien en ce jour,
Malgré l'enfance
De ce Dieu plein d'amour!
L'esclave racheté
Et tout l'enfer dompté
Font voir qu'à sa naissance
Rien n'est si redouté
Que sa puissance.

Heureux mystère!
Jésus souffrant pour nous,
D'un Dieu sévère
Apaise le courroux.
Pour sauver le pécheur,
Il naît dans la douleur,
Et sa bonté de père
Eclipse sa grandeur.
Heureux mystère!

EXERCISES

Termes et expressions a employer dans les définitions:

1. Grelotter *veut dire* (ou *signifie*) trembler de froid.
2. Cependant *est le synonyme de* toutefois.
3. Paresseux *est le contraire de* diligent.
4. Le renard est un animal *qui ressemble au* chien.
5. Le brigandage *est l'action de* voler à main armée.
6. Un couteau est *un instrument qui sert à* (ou *dont on se sert pour*, ou *qu'on emploie pour*) couper.
7. Le marché est *un lieu* public *où* l'on vend certaines marchandises.
8. Un râteau est *un instrument* d'agriculture *avec lequel* on ramasse du foin, etc.
9. Un verre est *un vase à* boire.
10. Une charrette est *une voiture* à deux roues *pour* transporter le foin, etc.

Autres mots utiles:

apparatus, un appareil; *building*, un bâtiment, un édifice; *clothing (an article of)*, un vêtement; *drink*, une boisson; *feeling*, un sentiment; *food*, un aliment; *furniture (a piece of)*, un meuble; *group*, un groupe; *implement*, un instrument; *kind*, une espèce; *liquid*, un liquide; *machine*, une machine; *metal*, un métal; *object*, un objet; *part*, une partie; *person*, une personne; *place*, un endroit, un lieu; *plant*, une plante; *quality*, une qualité; *receptacle*, un vase, un récipient; *sound*, un son; *substance*, une substance; *tool*, un outil; *utensil*, un ustensile; *vegetable*, un légume; *vehicle*, une voiture; *vessel*, un vase; *weapon*, une arme.

Exercises

Le Fer à cheval—I

(Pages 1-4)

A. *Répondez en français aux questions suivantes:*
1. Où les deux Canadiens français passaient-ils l'hiver?
2. Pourquoi Alphonse était-il si jubilant d'avoir perdu cinq dollars? 3. En plus des miroirs cassés, quels porte-malheur craignait-il? 4. Pourquoi le raconteur aimait-il mieux l'hiver de la Louisiane que celui de Québec ou de Chicago? 5. Quel travail faisait Alphonse? 6. Où était son appartement? 7. Qu'est-ce qui le séparait des bureaux de la maison? 8. Comment Alphonse et son ami pouvaient-ils toujours voir ce qui se passait du côté de la façade? 9. Quelles fêtes approchaient? 10. Quelle tâche difficile le domestique avait-il à faire un matin? 11. Comment l'ami s'expliquait-il la mauvaise humeur d'Alphonse pendant les jours suivant cet incident? 12. Quelle était la vraie explication de son humeur morose? 13. Qui soupçonnait-il? 14. Pourquoi Alphonse avait-il eu tant d'argent dans son porte-monnaie? 15. Où avait-il laissé son porte-monnaie? 16. À quoi attribuait-il sa malchance? 17. Quel objet devait détourner la mauvaise chance? 18. Où avait-il placé cet objet? 19. Où allait Alphonse plus tard? 20. Pourquoi voulait-il manger des croquignoles ce soir-là?

B. 1. *Complétez chacune des explications ci-dessous en remplaçant le tiret par un des adjectifs suivants:*
affairé, aimable, fataliste, glacial, inquiet, loyal, méridional, morose, préoccupé, taciturne

(i) ———— signifie digne d'être aimé. (ii) ———— signifie fidèle et dévoué. (iii) Une personne ———— croit que tout est déterminé d'avance. (iv) Un homme ———— est un homme qui a, ou qui semble avoir, beaucoup à faire. (v) Un climat ———— est un climat propre aux pays du sud. (vi) ———— veut dire

129

extrêmement froid. (vii) ———— est le contraire de gai. (viii) ———— signifie absorbé. (ix) Un homme ———— est un homme qui n'a pas l'esprit tranquille. (x) Une personne ———— est une personne qui parle peu.

2. *Comment s'appellent les habitants des villes ou des pays suivants?*

Montréal, la Louisiane, l'Angleterre, l'Écosse, l'Irlande, Marseille, Lyon, la Pologne, le Portugal, le Japon

3. **Prononciation.** [i]

Divisez les mots suivants en syllabes et prononcez chaque syllabe distinctement:

matinale, accidentellement, disponibilité, inadmissible, innocent, minuit, disparu, conviction, solitaire, illuminé

C. Révision de grammaire—pronoms personnels compléments.
Traduisez en français:

1. Look at him! There he is, dancing on the sidewalk.
2. Why do you avoid black cats? Are you afraid of them?
3. When she breaks a mirror she expects that some misfortune will happen to her. 4. Have you ever broken one? I have broken many. 5. Come into our apartment. John and I share it. 6. Wait for me here if you wish, but don't wait for me in the street. 7. He showed them the furnished rooms behind the store. Alphonse and his companion lived there. 8. When you take off your vest don't leave it on the back of the chair. 9. Let us protect ourselves against the cold. 10. There is the money that I drew from the bank. Give it to him.

Le Fer à cheval—II

(Pages 5-11)

A. *Répondez en français aux questions suivantes:*

1. Qu'est-ce qui a éveillé l'ami d'Alphonse? 2. Qu'est-ce qui causait de la terreur depuis quelques semaines aux habitants de la Nouvelle-Orléans? 3. Quels moyens les cambrioleurs em-

ployaient-ils pour ouvrir les coffres de sûreté? 4. Qu'est-ce
que le raconteur a vu en regardant du côté des bureaux? 5. Qu'a-
t-il pu voir en s'agenouillant sur son lit? 6. Qu'a-t-il entendu?
7. Pourquoi lui serait-il impossible de s'échapper de sa chambre
si les voleurs venaient de son côté? 8. A quelle arme a-t-il
pensé tout à coup? 9. Où allait-il attendre les voleurs? 10. Comment s'est manifestée la peur folle du raconteur? 11. Comment
espérait-il être délivré du danger? 12. Qu'est-ce qui a mis fin
à cet espoir? 13. Qu'a-t-il décidé de faire pour se sauver?
14. Comment a-t-il mis en exécution ce plan hardi? 15. Qui
étaient les supposés voleurs? 16. Pourquoi les agents de police
étaient-ils entrés dans l'appartement? 17. Qu'est-ce qui a
empêché le fer à cheval de blesser l'homme qu'il a frappé? 18. Que
faisaient les trois hommes quand Alphonse est rentré? 19. Qu'est-
ce que les quatre hommes ont commencé à faire ensuite?
20. Comment Pat est-il arrivé au haut de la pile de barils?
21. Quel objet inattendu y a-t-il trouvé? 22. Pourquoi Alphonse
est-il devenu triste en regardant le porte-monnaie? 23. A quoi
a-t-il attribué sa bonne chance? 24. Comment le porte-monnaie
était-il arrivé de la poche du gilet sur la pile de barils? 25. Comment Alphonse a-t-il récompensé John au nouvel an?

B. 1. *Traduisez en français les noms suivants, en imitant le modèle
donné:*

(i) Modèle: horse-shoe = *fer à cheval*

coffee-cup, tea-spoon, tooth-brush, hair-pin, note (letter)-
paper, wine-glass, hand-bag, broom-handle

(ii) Modèle: bed-room = *chambre à coucher*

dining-room, type-writer (writing-machine), sewing-machine,
writing-table, laundry-iron (*repasser* = to iron), playing-cards

(iii) Modèle: purse = *porte-monnaie*

pen-holder, coat-rack, cigarette-case, key-ring, lucky-charm,
portfolio

2. *Nommez toutes les parties du corps humain qui sont mention-
nées aux pages 6-7.*

3. **Prononciation.** [e], [ɛ]

Arrangez les mots ci-dessous en deux colonnes, en mettant dans l'une tous les mots qui contiennent le son [e], et dans l'autre tous ceux qui contiennent le son [ɛ]:

alerte, atteignait, balai, bouteille, caisse, jetai, lumière, pied, pénétrez, poignet, premier, nez, réfugié, sergent, suprême, soudaine

C. Révision—pronoms accentués ou disjoints.

Traduisez les phrases suivantes:

1. I read the account of it in the newspapers myself.   2. The burglars were walking straight toward him.   3. They were looking around them to the right and to the left.   4. He and I were more terrified than she.   5. One is always more timid abroad than at home.   6. Did he light the gas himself?   7. "I know nothing about it", I remarked. "Nor do I", said she.   8. Who climbed up on the barrels? — They did.   9. Is it he who always leaves the door open?   10. As for them, they will never forget that Christmas Eve.

D. *Arrangez les mots suivants en paires selon le sens, et composez une phrase avec chaque paire:*

argent, boire, bougie, bouteille, caisse, clef, échelle, étrennes, fenêtre, feu, jour de l'an, lumière, monter, poêle, serrure, vitre

Le Travail—I

(Pages 12-17, l. 30)

A. 1. Qu'est-ce qu'une Seigneurie? une concession? une paroisse? un rang?   2. Combien d'années les Letiec ont-ils déjà passées dans leur ferme?   3. Quel âge ont-ils?   4. Quel travail ont-ils dû faire avant de pouvoir cultiver la terre?   5. Comment les enfants Letiec ont-ils fait plaisir à leurs parents?   6. Qu'est devenu le fils aîné?   7. Que sont devenus les autres enfants?

8. Quel rêve Anselme a-t-il fait autrefois? 9. Qu'est-ce qu'un rentier? 10. Qu'est-ce qui a toujours paru si agréable à Anselme dans la vie d'un rentier? 11. Comment Catherine regarde-t-elle l'ambition de son mari? 12. D'où Anselme et Catherine obtiendront-ils l'argent nécessaire pour vivre en rentiers? 13. Où habiteront-ils? 14. Comment passeront-ils la journée et que feront-ils le soir? 15. Quelle objection Catherine a-t-elle à faire au projet d'Anselme? 16. Quels arguments emploie-t-il pour convaincre sa femme? 17. Que décident-ils de faire enfin? 18. Quelle raison le notaire a-t-il de croire que le père Bellefeuille achètera la propriété d'Anselme? 19. En quoi consiste le «roulant»? 20. Qu'est-ce qu'Anselme et Catherine gardent pour la maisonnette du village? 21. Comment annonce-t-on la vente? 22. Quel est le résultat de la vente? 23. Que fait Catherine de l'argent? 24. Quelle perspective réjouit Anselme? 25. Comment les deux paysans passent-ils la soirée? 26. Pourquoi Catherine est-elle triste en pensant à la vieille charrue? 27. Quels arguments y a-t-il pour et contre la vente de la vache? 28. Quelles qualités la Grise possède-t-elle? 29. Quelles indications y a-t-il qu'Anselme n'est pas tout à fait satisfait? 30. Quelle pensée le console?

B. 1. *Définissez les adjectifs dans les expressions qui suivent (voir l'exercice B. 1, page 129):*

(i) des paysans *industrieux* (ii) la forêt *prochaine* (iii) la tâche *incessante* (iv) un travail *dur* (v) un parti *avantageux* (vi) le fils *aîné* (vii) la lutte *opiniâtre* (viii) la tâche *quotidienne* (ix) une somme *suffisante* (x) le toit *paternel*

2. *Mettez tous les mots possibles au pluriel:*

(i) Sois bon pour cet animal. (ii) Ce monsieur a acheté notre troupeau. (iii) Son fils s'est établi sur cette terre. (iv) C'est un prix avantageux. (v) Quel mauvais jour j'ai passé! (vi) Je commence à me faire vieux. (vii) «Tu dois te reposer», lui dit-il. (viii) Votre voisin est venu emprunter mon cheval gris.

3. *Écrivez les adverbes qui correspondent aux adjectifs suivants:*
(i) amer (ii) long (iii) juste (iv) pareil (v) paternel (vi) sérieux (vii) premier (viii) incessant (ix) mauvais (x) meilleur.

4. *Mettez le verbe entre parenthèses au passé indéfini:*
(i) Catherine (compter) les écus, puis elle les (serrer) dans l'armoire. (ii) Après cela elle (s'asseoir) sur le perron. (iii) Anselme aime les champs qu'il (labourer). (iv) Quelle belle maisonnette ils (choisir)! (v) Ils (se rappeler) les premières années à la ferme. (vi) La vache et la jument (partir). (vii) Le fermier a besoin des instruments qu'il (vendre). (viii) Ils (se coucher) de bonne heure mais ils ne (dormir) pas.

5. **Prononciation.** [a], [ɑ]
Prononcez les mots suivants en donnant à chaque syllabe toute sa valeur:

[a] matinée, alluma, armoire, remarqua, regarda, partager, réaliser, débarrasser, travailla, Canadien

[ɑ] pas, passer, grasse, grâce, tâche, hâler, âme, opiniâtre, relâche, râteau

C. Révision—présent du subjonctif.

1. *Étudiez le présent du subjonctif des verbes* se reposer, s'établir, vendre, avoir, être, faire, aller, venir, voir.

2. *En imitant la tournure suivante, traduisez les phrases en dessous:*
(EXEMPLE: Veux-tu que je te dise? = *Do you want me to tell you?*)

(i) She wants you to rest after supper. (ii) The father wants his eldest son to settle in the neighbourhood. (iii) Does she not want her husband to sell the farm? (iv) I don't wish you to be hungry. (v) The notary wishes you to be at his place at half past ten. (vi) Our neighbours want us to play a game of checkers with them this evening. (vii) Catherine wants them

to go to mass with her to-morrow morning. (viii) Anselme
wants his wife to come and sit on the porch.   (ix) Do you wish
her to be afraid of you?   (x) I want you to see if everything is
in order.

Le Travail—II

(Pages 17, 1. 31-22)

A. 1. A quelle heure Anselme s'est-il réveillé le lendemain
matin? 2. Pourquoi ne s'est-il pas levé? 3. Pourquoi ne
pouvait-il pas se rendormir? 4. Quelle pensée le troublait?
5. Pourquoi Catherine ne s'était-elle pas levée en se réveillant?
6. Où Anselme est-il allé après s'être levé?   7. Quels sons
venaient des autres fermes?   8. Quel aspect triste avait le
poulailler chez Letiec?   9. Pourquoi Anselme ne voulait-il pas
entrer dans l'étable?   10. Pour quel travail avait-il besoin d'une
fourche ou d'un râteau?   11. Où est-il allé pour jeter un coup
d'œil sur son domaine?   12. Pour quelles raisons cette terre
lui était-elle si chère?   13. Quelle pensée le rendait si triste?
14. Où Anselme est-il allé après le déjeuner? 15. Pourquoi
Catherine a-t-elle souri?   16. Que sont allés chercher les deux
époux?   17. De quelle manière les deux bêtes ont-elles marqué
leur contentement d'être revenues?   18. Comment Catherine
s'est-elle excusée d'avoir ramené la vache? 19. Pour quel
travail Anselme prétendait-il avoir besoin de la Grise?   20. De
quel instrument aurait-il besoin aussi?   21. Mentionnez quelques travaux pour lesquels les deux paysans ont dû emprunter
des outils et des instruments. 22. Quelles indications y a-t-il
qu'ils n'étaient pas heureux?   23. Au bout de quinze jours que
pensait Anselme de la vie de rentiers?   24. Comment Catherine
a-t-elle montré qu'elle partageait son opinion?   25. Comment
serait-il encore possible de revenir sur leur décision de se faire
rentiers?   26. A quelle vérité les Letiec n'avaient-ils pas pensé?
27. Qu'est-ce qu'ils se sont reproché?   28. Comment sait-on

qu'Anselme était toujours vigoureux? 29. Qu'est-ce qu'Anselme a annoncé au notaire le lendemain? 30. Quelle raison a-t-il donnée de sa décision?

B. 1. *Arrangez les mots suivants en groupes selon le sens. Chaque groupe doit contenir un verbe et deux autres mots.*

(EXEMPLE: éclairer, la lumière, le soleil.)

éclairer, engranger, étudier, chanter, hennir, labourer, traire, travailler, vivre

le blé, la charrue, le cheval, le coq, dur, l'écurie, l'étable, les gerbes, la lumière, le perchoir, le prêtre, le rentier, le revenu, le séminaire, le soleil, la tâche, la terre, la vache

2. *Définissez les mots suivants en vous servant des mots* homme, meuble, bâtiment, voiture, instrument:

(EXEMPLE : Une armoire est un meuble où l'on serre les vêtements etc.)

un notaire, un rentier, un paysan, une armoire, un lit, une grange, un poulailler, une charrette, un râteau, une fourche, une étable

3. *Remplacez les tirets par la forme convenable des verbes* laisser, partir, quitter, *selon le sens:*

(i) En grandissant, les enfants ——— le toit paternel. (ii) Tristement, le paysan vit ——— la vache. (iii) Avant de ——— mon domaine, je vais labourer ce champ. (iv) Où as-tu ——— ta pipe? (v) Il y a longtemps que nos amis ——— d'ici. (vi) Si elle est fatiguée, ——— -la dormir. (vii) ——— -tu déjà pour l'école? (viii) J'avais ——— l'argent sur la table. (ix) Il a ——— sa femme et ses enfants pour toujours. (x) Nous ——— de chez nous à quatre heures.

4. Prononciation. [ɔ], [o]

Prononcez: [ɔ] domaine, notaire, économie, auraient, ordinaire, mobilier, saura, produit, récolter, sommeil

[o] clôture, tantôt, arroser, paupières, closes, épaules, pauvreté, cause, beauté, précaution

C. Révision—l'imparfait, le passé indéfini, le plus-que-parfait.
Traduisez les phrases suivantes:

1. Anselme consulted a notary whom he knew well. 2. The latter (*celui-ci*) found a buyer who wanted only the land. 3. Anselme sold all the cattle and implements to his neighbours. 4. Soon he regretted his action and began to be bored. 5. One morning he went to see the friend who had bought the mare. 6. A few hours later he returned, leading her by the bridle. 7. During his absence Catherine had gone to get the cow. 8. Each day he and his wife would borrow a tool or an implement. 9. While he ploughed, his wife looked after the cow and the hens. 10. Nez-Blanc seemed very happy to be back.

D. *Sujet de composition:* Le paysan canadien - français — son travail et ses plaisirs.

La Dernière Classe

(Pages 23-28)

A. 1. Où et quand se passe l'action de ce récit? 2. Qui raconte l'histoire? 3. Quel sujet de grammaire allait-on discuter ce jour-là? 4. Pourquoi le petit garçon avait-il peur d'être grondé? 5. Qu'aurait-il préféré faire? Pourquoi? 6. Pourquoi Franz était-il inquiet en voyant du monde devant le grillage aux affiches? 7. Que lui a dit le forgeron? (*Employez le discours indirect dans votre réponse.*) 8. Décrivez le commencement de la classe un jour ordinaire, et ce jour-là. 9. Qu'est-ce que Franz a remarqué d'extraordinaire en jetant un regard autour de la salle de classe? Mentionnez le professeur, les élèves, et les visiteurs. 10. Ce devait être leur dernière leçon de français. Pourquoi? 11. Qu'est-ce que le petit Franz avait fait au lieu d'étudier? 12. Pourquoi les vieux du village étaient-ils venus à l'école? 13. Comment la récitation de Franz a-t-elle réussi? 14. En quoi les parents et le maître d'école étaient-ils coupables?

15. Qu'est-ce que M. Hamel leur a dit de la langue française? 16. Pourquoi Franz a-t-il trouvé la leçon si facile ce matin-là? (*Deux raisons.*) 17. A quoi les exemples pour la leçon d'écriture étaient-ils attachés? 18. A quoi ressemblaient-ils? 19. Que faisaient (i) les grands (ii) les petits pendant la leçon d'écriture? 20. Depuis combien d'années M. Hamel enseignait-il dans cette école. 21. Quels changements s'étaient opérés pendant ce temps? 22. Où demeuraient M. Hamel et sa sœur? 23. Que faisait le vieux Hauser pendant la leçon de lecture? 24. Qu'a-t-on entendu à midi? 25. Décrivez la fin de la classe.

B. 1. *Trouvez dans le texte (pages 23-26, l. 5), l'équivalent de:*

(i) réprimander (ii) questionner (iii) le bord (iv) la maison où se trouvent les bureaux de la municipalité (v) un avis exposé dans un endroit public (vi) le bruit (vii) le meuble sur lequel écrivent les élèves (viii) une grande peur (ix) ordinairement (x) causer une violente émotion (xi) une manière (12) le pays où l'on est né

2. *Écrivez, en indiquant le genre, les noms qui correspondent aux verbes suivants:*

(i) courir (ii) afficher (iii) commencer (iv) taper (v) distribuer (vi) punir (vii) servir (viii) exercer (ix) devoir (x) parler

3. *Quel est le contraire de:*

(i) tôt (ii) (parler) haut (iii) ennuyeux (iv) lourd (v) oublier (vi) le malheur (vii) le plus (viii) neuf (ix) pareil (x) au-dessus?

4. *Trouvez dans l'histoire dix verbes qui expriment ce que font le professeur et les élèves en classe, e.g.,* enseigner, apprendre.

5. *Faites une liste de tous les mots dans cette histoire qui expriments des sons, e.g.,* siffler.

6. **Prononciation.** [u], [y]

Prononcez les mots qui suivent:

[u] course, lourd, toujours, ouverte, **bouleverser**

[y] tu, jusque, surprit, pupitre, écriture

[u], [y] vous, vu; boue, bu; roue, rue; dessous, dessus; voulurent, courussent

[i], [y] vis, vu; fis, fus; pire, pure; il eut, minute, illumine, inutile

C. *Traduisez en français:*

Little Franz was late for school. In passing the town-hall he noticed some people standing in front of the notice-board. However, he did not stop, as he did not wish to waste any time.

On arriving at school Franz was surprised to see that his teacher was wearing his fine Sunday clothes. There were also some old people from the village sitting at the back of the classroom. While he was wondering about all this, Mr. Hamel, the teacher, got up. He explained that the order had come from Berlin to teach only German in the schools of Alsace and Lorraine. This would be their last French lesson.

D. *Sujet de composition:* La journée d'un petit écolier alsacien.

Le Montagnard exilé

(Pages 29-30)

A. 1. A qui le montagnard parle-t-il? De quoi parle-t-il?
2. De quelles personnes et de quelles choses se souvient-il en particulier? **3.** Qu'est-ce qu'une chaumière? la Dore? un Maure? l'airain? l'hirondelle? **4.** Pourquoi les mots *effleurer*, *agile*, *mobile* (strophe 4) sont-ils bien choisis? **5.** Quel est l'effet produit par la longueur et la sonorité des voyelles et par la répétition des rimes?

La Conversion du soldat Brommit

(Pages 31-37)

A. 1. Qui étaient Brommit et Aurelle? **2.** De quoi parlait Brommit lorsqu'il venait réveiller Aurelle chaque matin? **3.** Comment les soldats se groupaient-ils pour aller à l'église? **4.** Quelle partie du *Church Parade* Brommit détestait-il? **5.** En quoi la tenue de parade différait-elle de l'uniforme ordinaire? 6. Comment Brommit avait-il appris que l'inspection avant le départ pour l'église n'était pas une simple formalité? 7. Pourquoi Brommit se disait-il qu'il était stupide? 8. Qu'a-t-il remarqué de particulier sur la pancarte dans le bureau du sergent-major? 9. Quelle idée lui est venue? 10. Que voulait-il savoir avant de s'expliquer avec le colonel? 11. Qui lui a fourni les renseignements nécessaires? 12. Qu'est-ce qui lui plaisait dans la doctrine de Wesley? 13. Pourquoi n'a-t-il pas révélé son secret au sergent-major? 14. Quelle raison a-t-il donnée au colonel de vouloir changer de religion? 15. Pourquoi n'aurait-il pas semblé raisonnable de refuser la demande de Brommit? 16. Pourquoi Brommit a-t-il dû revenir voir le colonel vendredi soir? 17. A combien de services faudrait-il qu'il assistât chaque dimanche? 18. Pourquoi n'oserait-il manquer un service? 19. Pourquoi le sermon du Révérend Short n'a-t-il pas plu à Brommit? 20. Qu'est-ce que le ministre a dit à Brommit après le service? 21. Qu'est-ce qui est arrivé un dimanche lorsque Brommit a manqué l'église? 22. Quelle idée malencontreuse la congrégation a-t-elle eue? 23. Qu'est-ce qui a décidé Brommit à ne plus être Wesleyen? 24. Comment a-t-il expliqué au colonel ce nouveau changement d'idées? 25. Comment devrait-il passer le dimanche à l'avenir?

B. 1. *Trouvez dans le texte (pages 31-32, l. 20), les expressions dont voici les définitions:*

(i) le soldat attaché au service d'un officier (ii) gros et court (iii) très habilement (iv) une marche en rangs (v) tolérer beaucoup de choses (vi) quelqu'un qui adore les idoles (vii) l'action de faire briller (viii) l'uniforme (ix) très brillant (x) le bâtiment où logent les soldats (xi) les travaux que les soldats sont obligés de faire à tour de rôle (xii) l'action de rendre propre (xiii) être exempté de (xiv) les ruses de la profession (xv) ne pas mériter

2. *Remplacez le tiret par la forme convenable du pronom relatif:*

(i) ———— me rendait fou, c'étaient les nettoyages le dimanche matin.   (ii) Le colonel a écouté tout ———— j'avais à dire. (iii) Il m'a demandé à ———— je croyais.   (iv) Voilà une religion ———— me convenait.   (v) La religion à ———— je pensais, n'était pas bien connue.   (vi) Les sermons ———— le chapelain prononçait étaient terribles.   (vii) Les choses à ———— nous devions renoncer étaient peu importantes.   (viii) Qui surveillait le détachement à ———— vous apparteniez?   (ix) L'église ———— il prêchait n'était pas loin.   (x) L'homme à ———— Brommit parle est l'interprète.

3. Prononciation. [ø], [œ]

Prononcez:

(i) [ø] bleu, ceux, œufs, creuse, furieux, furieuse, vigoureux, vigoureuse

(ii) [œ] cœur, seul, œuf, jeune, neuf heures, douceur, malheur, d'ailleurs

(iii) pire, père, par, port, pour, pur, peur;
si, ses, sa, seau, sous, su, ceux

C. *Traduisez le paragraphe suivant en français:*

Sergeant Brommit was a good soldier but he detested Church Parade. Since there were no Wesleyans in his regiment there would be no Church Parade. Brommit therefore decided to change his religion. Unfortunately Slippery Bill, the old colonel, knew his job too well. He told the Wesleyan minister to inform him if Brommit missed a Sunday service or a Friday evening lecture. For a month Brommit endured the long sermons. However, when the Reverend Mr. Short reproached him about his girl, he decided not to go to his church any more. He told Slippery Bill that he had a new religion of his own. From that day on, Brommit, who hated fatigue duty, washed the stairways of the barracks while the other soldiers were at church.

D. *Écrivez trois phrases de votre invention sur chacune des idées qui suivent:*

1. dimanche matin 2. passer pour un idiot 3. les corvées
4. c'était un vieux singe 5. Je vois au mur une pancarte.

Après la Bataille

(Page 38)

A. 1. Lisez la notice biographique sur Hugo. **2.** Qui était le père du poète? **3.** Dans quels pays avait-il été en garnison? **4.** Entre quelles armées la bataille dont il est question dans le poème a-t-elle eu lieu? **5.** Qui avait gagné la bataille? **6.** Que nous dit le poète au sujet de son père? **7.** Qui accompagnait le père? **8.** Décrivez le champ de bataille. **9.** En quel état était l'Espagnol blessé? **10.** Que demandait-il? **11.** Qu'allait-on lui offrir? **12.** Qu'est-ce que l'Espagnol avait l'intention de faire? **13.** Qu'a fait le père du poète au lieu de le punir? **14.** Quelle qualité morale Hugo veut-il illustrer par ce poème?

Les Pains noirs

(Pages 39-43)

A. 1. Comment Nicolas Nerli passait-il ses jours? **2.** Qu'apprend-on de son caractère? **3.** Pourquoi son palais était-il muni de grilles et de chaînes? **4.** De quoi avait-il orné l'intérieur de son palais? **5.** Où pouvait-on voir ses bonnes œuvres représentées? **6.** Où avait-on mis son portrait? Pourquoi? **7.** Quelles autres figures voyait-on dans le tableau? **8.** Selon l'auteur, comment gagne-t-on l'estime des magistrats? **9.** Comment Nicolas Nerli a-t-il reçu les mendiants qui l'attendaient un soir d'hiver? **10.** Que voulaient-ils? **11.** Pourquoi ont-ils refusé de partir? **12.** Comment se fait-il que Nicolas leur ait jeté des pains? **13.** Qu'est-ce qui est arrivé à Nicolas pendant la nuit? **14.** Qui lui est apparu? **15.** Que mettait-il dans un des plateaux de ses balances? **16.** Pourquoi Nicolas est-il devenu si soucieux?

17. Énumérez les bonnes œuvres que Nicolas a dit au saint de mettre dans l'autre plateau. 18. Qu'est-ce que Nicolas a remarqué avec inquiétude? 19. Qu'a-t-il demandé à saint Michel? (*Mettez votre réponse au discours indirect.*) 20. Qu'est-ce que saint Michel voulait donner à entendre à propos des balances des lombards de Paris et des changeurs de Venise? 21. Qu'est-ce qui pesait plus lourd, les bonnes œuvres ou les iniquités de Nicolas Nerli? 22. Pourquoi ses dents claquaient-elles? 23. Qu'est-ce qui a fait descendre le plateau léger au même niveau que l'autre? 24. Comment Nicolas pourrait-il encore échapper à l'enfer? 25. Quelle leçon doit-on tirer de cette légende?

B. 1. *Définissez les mots qui suivent:*

    (i) un palais, une citadelle, un hôpital, une église, une écurie

    (ii) un banquier, un ouvrier, un mendiant, un prophète, un saint

    2. *Remplacez le tiret par le mot convenable:*

    (i) Nicolas Nerli vivait —— Florence —— Italie. (ii) Il était —— banquier et possédait —— grands biens. (iii) Il prêtait —— or même —— plus riches —— pays. (iv) Aux mendiants qui lui demandèrent —— pain —— criant —— une voix plaintive, il voulait jeter —— pierres. (v) Il vit saint Michel, —— balances —— la main, qui mettait —— un côté les bonnes œuvres et —— l'autre ses iniquités.

    3. **Prononciation.** [ə]

    Divisez en syllabes et prononcez:

demi, celui, denier, premier, pesait, comprenez, représenter, faisant, faisiez, reconnaissance, bachelier, gouvernement

C. Révision—pronom relatif.

    Traduisez en français:

    1. The basket which the servant carried on his head contained brown loaves. 2. Nicholas threw them to the beggars who were shouting before the palace door. 3. He wondered what

Saint Michael was weighing in his scales.   4. He was very anxious when he saw what was making one basin of the scales go down.   5. We know that he had acquired everything that he had by cunning.   6. He asked Saint Michael what he had put on the other side.   7. Where were the good works by which he hoped to enter heaven?   8. Saint Michael had perhaps forgotten the hospital of which Nicholas was so proud.   9. He had remembered the widows whose jewels Nicholas was keeping in pawn.   10. At last the basin in which the good saint had placed the brown loaves went down.

Le Savetier et le financier

(Pages 44-45)

A. 1. Quel travail fait un savetier?   2. Comment sait-on que le savetier était heureux?   3. Qui était son voisin?   4. Qu'est-ce qui nous montre que celui-ci n'était pas heureux?   5. Qu'aurait-il voulu acheter?   6. Qui a-t-il envoyé chercher?   7. Combien le savetier gagnait-il par an? par jour?   8. Quelle rémunération trouvait-il suffisante?   9. Pourquoi n'aimait-il pas les jours de fête?   10. Combien d'argent lui a donné le financier?   11. Qu'a-t-il fait de l'argent?   12. Quel changement s'est opéré en lui?   13. Quels détails montrent qu'il était inquiet et le jour et la nuit?   14. Pourquoi est-il allé trouver le financier?   15. Quelle leçon peut-on tirer de cette fable?

Propos de chasse

(Pages 46-50)

A. 1. Où se trouvaient les chasseurs?   2. Pourquoi y étaient-ils?   3. Comment passaient-ils leur temps? 4. Qui racontait l'histoire du lièvre?   5. Qu'avait remarqué Madeleine en posant le lièvre sur la table?   6. A quel trait caractéristique des Marseillais

Gogu fait-il allusion? 7. Qu'est-ce qui est arrivé lorsque l'oncle a découpé le lièvre? 8. Quel travail le jeune Gogu faisait-il pour le marquis? 9. Décrivez l'habitation du marquis. 10. Que dit Gogu du caractère et des habitudes du marquis? 11. Pourquoi se demandait-on où le marquis gardait son argent? 12. Où était-on allé le jour de cette aventure? 13. Expliquez pourquoi Gogu avait envie de manier le fusil du marquis. 14. Que trouvait-il d'extraordinaire dans la conduite du marquis? 15. Pourquoi n'est-on pas rentré au château ce soir-là? 16. Où a-t-on passé la nuit? 17. Qu'est-ce que l'oncle de Gogu a proposé? 18. Pourquoi ont-ils pris le fusil du marquis? 19. De quoi l'oncle a-t-il accusé Gogu? 20. Quelle remarque indiscrète l'oncle a-t-il faite au petit déjeuner? 21. Pourquoi le marquis était-il si fâché d'apprendre que Gogu s'était servi de son fusil? 22. De quoi Gogu s'est-il souvenu en apprenant le secret du marquis? 23. Comment a-t-on su que c'était Gogu et non pas son oncle qui avait tué le lièvre? 24. Combien de louis a-t-on retrouvés?

B. 1. *Cherchez dans le conte,* Propos de Chasse, *tous les mots qui se rapportent au fusil et à son usage. Trouvez-en au moins dix.*

2. *Donnez le contraire des mots suivants:*

(i) le silence (ii) étroit (iii) mouillé (iv) avare (v) le coucher (du soleil) (vi) tais-toi (vii) se réveiller (viii) bavard (ix) extraordinaire (x) gras

3. *Mettez les questions qui suivent au discours indirect après* «Il m'a demandé»:

EXEMPLE: As-tu perdu ton porte-monnaie?

Il m'a demandé si j'avais perdu mon porte-monnaie.

(i) Où est mon fusil? (ii) Qui l'a pris? (iii) Veux-tu m'accompagner à la chasse? (iv) Quand la pluie cessera-t-elle? (v) Qu'as-tu fait de mes bottes? (vi) Qu'y a-t-il dans ce sac? (vii) Allez-vous nous préparer notre déjeuner? (viii) Quand le rôti sera-t-il prêt? (ix) Que mangera-t-on? (x) Qu'est-ce qui a réveillé le marquis?

4. Prononciation. [j]

Prononcez:

(i) [j] ciel, lièvre, Parisien, milieu, maniaque, paya, humilié, fonction, apparition, tentation

(ii) [ij] brillant, pavillon, éparpiller

　　[aj] travail, taillis, gaillard

　　[εj] pareil, réveil, soleil, oreilles, treillis, Marseillais

　　[uj] mouillé, brouillard, dérouillera

　　[œj] feuille, recueil, fauteuil

C. 1. *Remarquez l'emploi des temps dans l'exemple ci-dessous (proposition principale, conditionnel; proposition subordonnée, imparfait):*

(EXEMPLE: Si je *disais* la suite, vous me *prendriez* pour un Marseillais.)

2. *Traduisez en français:*

(i) If it were not raining the hunters would shoot rabbits. (ii) If the marquis were going to town Gogu would go with him. (iii) If Gogu knew that the marquis carried his money in his rifle he would understand his master's conduct. (iv) They would stop at the inn if the castle were too far away. (v) You (*tu*) would not hit the oak if you aimed straight. (vi) If you were not so talkative he would know nothing about the adventure. (vii) You could carve the rabbit more easily if you took a better knife. (viii) We should have to leave at sunrise if we wished to be back the same evening.

D. *Sujet de composition:* Racontez une histoire de chasse ou une histoire de pêche.

Le Cas étrange de M. Bonneval

(Pages 51-57)

A. 1. Quels signes de bonne santé étaient évidents chez M. Bonneval ce matin-là? **2.** Quel symptôme inquiétant a-t-on remarqué à table vers midi et demi? 3. Comment Mme Bonneval s'est-elle expliqué la surdité de son mari? 4. Quels efforts M. Bonneval a-t-il faits pour essayer d'entendre? 5. Quel message a-t-il écrit pour rassurer sa femme? 6. Quel effet la nouvelle de son infirmité a-t-elle eu sur ses voisins? 7. Pourquoi faisait-il croire qu'il était sourd? 8. Selon M. Bonneval, à quel moment les enfants deviennent-ils insupportables? 9. Quel usage les enfants font-ils du don de la parole? 10. Quelle habitude M. Bonneval blâme-t-il chez certains parents? 11. Pourquoi n'est-il pas nécessaire qu'un enfant bien élevé exprime ses opinions? 12. Qu'est-ce qu'on éviterait si l'on n'avait pas appris à parler à ses enfants? 13. Quand a-t-on seulement besoin du don de la parole? 14. Comment M. Bonneval a-t-il expliqué le fait que Riri n'avait pas persisté dans sa demande? 15. Comment s'est-il proposé d'isoler ses enfants? 16. Quels avantages Toto et Riri ont-ils tirés de la surdité de leurs parents? 17. Comment le père a-t-il expliqué la surdité soudaine de la mère? 18. Comment s'est-il tiré d'affaire quand Riri lui a demandé le bateau par écrit? 19. Quels avantages y aurait-il à avoir des parents aveugles? 20. Qu'est-ce qui gênait les parents tout d'abord? 21. Quelles révélations ont-ils eues sur la conduite de leurs enfants? 22. Comment M. et Mme Bonneval ont-ils dissimulé leur émotion? 23. Quelle remarque de Toto a poussé M. Bonneval à lui donner une gifle? 24. Comment Mme Bonneval a-t-elle expliqué leur guérison subite? 25. Toto était-il dupe de la surdité prétendue de ses parents? Justifiez votre réponse.

B. 1. *Définissez les adjectifs ci-dessous, ou employez-les dans des phrases qui en feront ressortir le sens:*

(i) aveugle (ii) sourd-muet (iii) étrange (iv) étranger (v) insupportable (vi) inattendu (vii) épouvantable (viii) habile (ix) cadet (x) impuissant

2. *Écrivez les verbes qui correspondent aux noms suivants:*
(i) parole (ii) atteinte (iii) essai (iv) conduite (v) exigence

(vi) réflexion (vii) discussion (viii) don (ix) espoir (x) plainte
(xi) surveillance (xii) volonté (xiii) faillite (xiv) suggestion
(xv) aveu

3. (*a*) *Mettez les phrases qui suivent à l'interrogatif, à l'aide des mots entre parenthèses:*

(i) (*quand*) Tu achèteras mon bateau.   (ii) (*pour quelle raison*) Les parents se sont tus.   (iii) (*où*) Nous allons nous asseoir. (iv) (*comment*) Vous vous en êtes aperçus.   (v) (*pourquoi*) L'expérience n'a pas réussi.

(*b*) *Composez des questions en employant les pronoms interrogatifs avec les autres mots donnés:*

(i) qui ... devenir sourd   (ii) que ... discuter   (iii) qu'est-ce qui ... suggérer l'idée   (iv) qu'est-ce que ... l'expérience ... prouver   (v) de quoi ... faire ... un ragoût   (vi) auquel ... les petits Bonneval ... donner une gifle   (vii) lesquelles ... les révélations ... choquer les parents   (viii) lequel ... les garçons ..., demander un bateau

4. **Prononciation.** [w], [ɥ]

Prononcez:

[w] ouest, jouer, réjouir, louis, avoua;
    voix, histoire, étroit, joigne, moitié, voyager, employer
[ɥ] bruit, celui, suite, conduite, continuons, muet, minuit, tua

C. *Étudiez le vocabulaire ci-dessous, puis traduisez en français le passage qui le suit:*

cadet, contenir sa colère, couper court à, une éducation, ennuyer, une exigence, une expérience, faire semblant de, la gifle, insupportable, le méfait, par conséquent, la plainte, la querelle, raconter un méfait, la requête, soutenir, la théorie

Mr. Bonneval had strange theories on bringing up children. He maintained that children became unbearable as soon as they could speak.   If they were not taught (*on*) to speak, there would be no complaints, no quarrels, no embarrassing requests.

To put an end to the unreasonable demands of his younger son, Mr. Bonneval decided that he and his wife would pretend to be deaf. If Riri were not able to make his parents understand he would stop annoying them.

Because they thought their parents were deaf the children said what they liked. Consequently the Bonnevals heard them tell about many of their misdeeds. When Toto accused his father of thinking only of himself, Mr. Bonneval could contain his anger no longer. He gave Toto a box on the ear and that was the end of the experiment.

Le Ciel est, par-dessus le toit

(Page 58)

A. 1. Lisez la notice biographique sur Verlaine. **2.** Où était le poète quand il a écrit ces vers? **3.** Que voit-il de la fenêtre? **4.** Pourquoi le ciel lui semble-t-il si bleu? **5.** Qu'entend-il? **6.** Quels mots dans les deux premières strophes créent une impression de paix et de tranquillité? **7.** Quelle pensée est évoquée par ce que le poète voit et entend? **8.** Quel reproche se fait-il? **9.** Quel effet est produit dans les strophes 1, 2, 4, par la répétition du même mot?

Le Secret de maître Cornille

(Pages 59-65)

A. 1. Qui avait raconté cette histoire à Daudet? **2.** Quel commerce prospérait autrefois en Provence? **3.** Qu'est-ce qui faisait marcher les moulins? **4.** Comment transportait-on le blé aux moulins? **5.** Quels bruits entendait-on les jours de semaine? **6.** Comment s'amusait-on le dimanche? **7.** Qu'est-ce qui a remplacé le moulin à vent? **8.** Qu'a-t-on cultivé plui tard sur l'emplacement des moulins? **9.** Expliquez pourquos maître Cornille refusait d'abandonner son moulin. **10.** De quoi accusait-il les minotiers? **11.** Comment Vivette a-t-elle dû gagner sa vie? **12.** Quelles raisons avait-on de croire que maître Cornille aimait toujours Vivette? **13.** De quelle façon s'habillait-il maintenant? 14. Pourquoi ne s'asseyait-il plus à sa place ordinaire à l'église? 15. En quoi les villageois trouvaient-ils sa conduite mystérieuse? 16. Comment maître Cornille expliquait-il le fait qu'il était toujours occupé? 17. Que voyait-on en passant devant le moulin? 18. Quelle était l'opinion générale sur le mystère du moulin? 19. Pour quelle raison le joueur de fifre est-il allé un jour voir maître Cornille? 20. Pourquoi se sentait-il mal à l'aise pendant sa visite? 21. Quelle réponse a-t-il reçue? 22. Comment Vivette et son amoureux ont-ils réussi à entrer dans le moulin? 23. Quelle découverte surprenante ont-ils faite dans la chambre de la meule? 24. Qu'ont-ils vu dans la pièce du bas? 25. Quel était le secret de maître Cornille? 26. Pourquoi voulait-il faire croire qu'il faisait toujours de la farine dans son moulin? 27. Qu'est-ce que les villageois ont décidé, en apprenant le secret du meunier? 28. Que faisait maître Cornille quand ils sont arrivés au moulin? 29. Quelle scène joyeuse a bientôt réjoui le cœur du vieux meunier? 30. Comment sait-on qu'il était très ému? 31. Qu'est-ce qui montre qu'il regardait son moulin comme une personne? 32. Quand les ailes du moulin ont-elles cessé de virer pour toujours? 33. Citez d'autres cas où les inventions modernes ont remplacé les vieux procédés.

B. 1. (*a*) *Comment appelle-t-on:*

(i) celui qui joue (ii) celui qui a vu ou entendu quelque chose (iii) celui qui exploite un moulin (iv) celui qui a l'habitude de voler (v) celui qui vole à main armée (vi) celui qui mène une vie vagabonde (vii) celui qui passe pour avoir des relations avec le diable (viii) celui qui est malhonnête (ix) celui qui lit (x) celui qui habite un village?

(*b*) *Apprenez les définitions que vous venez d'écrire.*

2. *A quoi sert:*

(i) un moulin (ii) une aile (iii) un fouet (iv) la dentelle (v) la vapeur (vi) la farine (vii) une échelle (viii) une serrure?

3. *Mettez tous les mots possibles au pluriel:*

(*a*) (i) Il vient chez moi. (ii) Je vais essayer de te le redire. (iii) Lui, il agit par avarice. (iv) Un chat maigre dort dessus. (v) Je vois le vieil âne chargé d'un gros sac.

(*b*) (i) Il fut obligé de fermer son moulin. (ii) Il vécut tout seul. (iii) J'y convins. (iv) Cet enfant revint en larmes. (v) Je courus chez mon voisin.

4. **Prononciation.** [ã]

Divisez en syllabes et soulignez les lettres qui se prononcent [ã]:

abandon, annoncer, demandait, démener, emporter, farandole, lambeaux, parlement, prenait, ribambelle, sanglotait, tramontane

C. *Traduisez les phrases anglaises de chaque groupe, après avoir étudié l'exemple qui les précède:*

1. EXEMPLE: de temps en temps = *from time to time*

(i) from day to day (ii) from door to door (iii) from tree to tree (iv) from father to son

2. EXEMPLE: un moulin à vent = *a wind-mill*

(i) a steam-boat (ii) a water-mill (iii) an oil lamp (iv) a flour sack

3. EXEMPLE: Nous le voyons entrer = *We see him coming in.*

(i) We see the miller passing by. (ii) I saw him running through the village. (iii) He hears his grand-daughter singing. (iv) I watched them dancing.

4. EXEMPLE: Vous êtes assis devant un pot de vin = *You are sitting before a jug of wine.*

(i) The old man was sitting in front of the mill. (ii) The cat was lying in the sun. (iii) I was leaning against the pine-tree. (iv) They were bending over their work.

5. EXEMPLE: Les collines étaient couvertes de moulins à vent = *The hills were covered with wind-mills.*

(i) The floor was covered with flour. (ii) The donkeys were laden with sacks. (iii) These sacks were filled with flour. (iv) The table was decorated with flowers.

6. EXEMPLE: Le mistral avait beau souffler = *The mistral blew in vain*.

(i) He waited in vain for wheat. (ii) They knocked at his door in vain. (iii) It was useless for us to protest. (iv) In spite of my calling, he did not answer.

D. *Sujet de composition:* La Provence: situation, climat (vents, etc.); paysage (arbres, mas); culture (oliviers, vignes, magnans); la farandole

La Parure—I

(**Pages** 66-70, 1. 28)

A. 1. Qui est-ce que la jeune fille aurait voulu épouser? 2. Pourquoi cela ne lui était-il pas possible? 3. Quelles qualités les filles du peuple peuvent-elles posséder au même degré que les grandes dames? 4. Dans la maison qu'imagine Mme Loisel, qu'est-ce qui fait contraste avec: (i) la petite Bretonne (ii) la misère des murs (iii) l'usure des sièges (iv) la laideur des étoffes (v) le pot-au-feu (vi) la nappe de trois jours (vii) le mari enchanté du simple dîner? 5. Énumérez plusieurs autres choses qu'on trouverait seulement chez les riches. 6. Pourquoi Mme Loisel ne voulait-elle pas aller voir son ancienne camarade de couvent? 7. Qu'est-ce que son mari lui a apporté un soir? 8. Pourquoi croyait-il que sa femme en serait très contente? 9. Pourquoi a-t-elle pleuré? 10. De combien d'argent aurait-elle besoin? 11. Quel sacrifice son mari allait-il faire pour donner cette somme à sa femme? 12. Pourquoi Mathilde n'était-elle toujours pas satisfaite? 13. Selon M. Loisel, qu'est-ce que Mathilde pourrait mettre au lieu d'un bijou? 14. Quelle suggestion de M. Loisel a plu à sa femme? 15. Quelle parure a-t-elle choisie entre tous les bijoux de son amie?

B. 1. *Donnez les noms qui correspondent aux adjectifs suivants:*
(i) charmant (ii) simple (iii) beau (iv) gracieux (v) fin

(vi) élégant (vii) égal (viii) délicat (ix) pauvre (x) laid (xi) chaud
(xii) glorieux (xiii) anxieux (xiv) économe (xv) inquiet

2. *Donnez le contraire des mots suivants:*
   (i) le chagrin (ii) le désespoir (iii) la laideur (iv) égal (v) large
(vi) lourd (vii) humide (viii) prêter (ix) plaire (x) se taire

3. *Remplacez le tiret par la préposition convenable:*
   (i) Mathilde souffrait ———— la pauvreté de ses meubles qui
étaient couverts ———— étoffes laides. (ii) Elle songeait ————
belles toilettes de son amie qui était toujours vêtue ———— soie.
(iii) ———— obtenant l'invitation au bal, M. Loisel espérait faire
plaisir ———— sa femme. 4. Elle se mit ———— pleurer ————
chagrin parce qu'elle n'avait rien ———— joli ———— mettre.
(v) ———— cette saison les robes coûtaient cher. (vi) Les fleurs
devaient lui servir ———— parure. (vii) Elle a tâché ————
emprunter un collier ———— Mme Forestier. (viii) Elle n'avait
pas pensé ———— faire cela.

4. **Prononciation.** [ɛ̃]
   Dans les mots qui suivent soulignez les lettres qui ont le son [ɛ̃]:
ancien, certainement, convaincu, distingué, imprimé, immodéré, inestimable, intime, moyen, satin, simple, vénitienne

C. Revision—préposition + infinitif; en + participe présent.
Traduisez en français:

1. Instead of marrying a rich man, Mathilde had married a
clerk. 2. While eating beef stew she thought of dainty dishes.
3. After visiting her rich friend she wept for days. 4. Her
husband had had great difficulty in obtaining (*à + infin.*) an
invitation to the ball. 5. She did not wish to go without
buying a new dress. 6. After reflecting a few minutes her
husband gave her four hundred francs. 7. By choosing something simple she was able to get one for that sum. 8. Before
accepting the invitation she tried on her new dress. 9. On
seeing herself in the mirror she decided to borrow a necklace.
10. Before leaving with her treasure she threw her arms about
her friend's neck.

D. *Employez chacune des locutions qui suivent dans une phrase qui en fera ressortir le sens:*

1. en face de 2. au lieu de 3. au milieu de 4. autour de 5. à cause de 6. jusqu'à

La Parure—II

(Pages 70, l. 28-76)

A. 1. Comment sait-on que Mme Loisel a eu un grand succès au bal? 2. Que faisait son mari pendant qu'elle s'amusait? 3. Pourquoi Mathilde ne voulait-elle pas attendre un fiacre? 4. Quelle sorte de voiture ont-ils trouvée enfin? 5. Rentrés chez eux, à quoi M. et Mme Loisel ont-ils pensé? 6. Quand Mathilde a-t-elle remarqué que la parure avait disparu? 7. Où les Loisel l'ont-ils cherchée tout d'abord? 8. Pourquoi croyaient-ils que la rivière de diamants serait peut-être dans le fiacre? 9. Qu'a fait M. Loisel jusqu'à sept heures? 10. Qu'a fait Mathilde en attendant? 11. Quels efforts son mari a-t-il faits pendant la journée pour trouver le collier? 12. Quelle explication les Loisel ont-ils donnée à Mme Forestier? 13. Où les Loisel sont-ils allés tout d'abord chercher une parure? 14. Quelle parure ont-ils décidé d'acheter? Pourquoi? 15. Si le franc valait 20 cents à cette époque, combien valait la parure en dollars? 16. Quelle somme M. Loisel a-t-il dû emprunter? 17. Où a-t-il obtenu cet argent? 18. Comment Mme Forestier a-t-elle reçu Mathilde quand celle-ci lui a rendu la parure? 19. Comment Mme Loisel a-t-elle dû changer sa manière de vivre? 20. Quels gros travaux faisait-elle maintenant elle-même? 21. Comment son mari gagnait-il de l'argent supplémentaire? 22. Combien de temps leur a-t-il fallu pour restituer tout l'argent emprunté? 23. Qu'est devenue la jeune femme qui avait été si jolie et si charmante? 24. Quand Mathilde a-t-elle avoué à son amie la perte du collier? 25. Pourquoi les sacrifices des Loisel n'auraient-ils pas été nécessaires?

B. 1. Qu'est-ce qu'un commis? un collègue? un mari? un joaillier? un usurier? une bonne? un fruitier? un épicier? un boucher?
une bourgeoise?

2. *Remplacez le tiret par le pronom démonstratif qui convient:*
(i) ——— sont les employés du ministère.   (ii) Si tu n'aimes
pas cette robe-ci, mets ———.   (iii) ——— m'ennuie de n'avoir
pas de bijoux.   (iv) Va voir ton amie, ——— qui a épousé
l'homme riche.   (v) Tu la connais assez bien pour ———.
(vi) Son salon était plus beau que ——— de Mme Loisel.
(vii) J'aime cette parure-ci mieux que ——— qui sont dans le
coffret.   (viii) ——— est le joaillier qui a vendu le collier.
(ix) ——— qui empruntent aux usuriers se ruinent.   (x) Payons
ces billets-ci, ——— doivent attendre jusqu'au mois prochain.

3. Prononciation. [ɔ̃], [œ̃]

Dans la première liste soulignez les mots qui contiennent le son [ɔ̃].
Dans la deuxième, soulignez ceux qui contiennent le son [œ̃]:

(i) Bretonne, consulta, commerçant, compromit, économe,
personne, savonna, son nom

(ii) aucun, emprunterait, humble, humiliant, lundi, parfum,
parfumé

C. *Traduisez en français:*
In order to save money the Loisels rented an attic.   Madame
Loisel, who had been so fond of luxury, dressed like a woman of
the working-class.   She did the heavy house-work herself.   For
ten years she and her husband worked hard to pay back the
money they had borrowed.

One Sunday, when she was walking in the Champs-Élysées,
she saw her old friend, Madame Forestier.   She decided to
explain what had happened.   Madame Forestier told her that
all her sacrifices had been in vain.   The lost necklace had been
worth only five hundred francs.

D. *Sujet de composition:* Le bal au ministère (l'invitation, les
préparatifs de Mme Loisel, son succès, le départ)

La Grammaire

SCÈNES I, II

(Pages 77-80)

A. 1. Dessinez le plan de la scène, puis faites-en une description orale. **2.** Qui est Jean? Que fait-il? **3.** Pourquoi Machut dit-il ironiquement à Jean: «Tu travailles bien, toi!»? **4.** Pourquoi Caboussat et Blanche ne savent-ils pas ce que devient la vaisselle cassée? **5.** De quoi la vache de Caboussat est-elle morte? **6.** A quel poste M. Caboussat espère-t-il être nommé? **7.** Comment Chatfinet a-t-il essayé de s'acquérir la faveur des électeurs? (*deux manières*) **8.** Qu'a fait Machut pour parer le coup? **9.** Pourquoi Machut n'aime-t-il pas Chatfinet? **10.** Quelle opinion a-t-on de M. Caboussat?

B. 1. *Trouvez dans les deux premières scènes les mots qui signifient:*
(i) la pièce où l'on reçoit les visiteurs (ii) mettre en pièces (iii) l'homme qui soigne les animaux domestiques (iv) relever ce qui est à terre (v) cependant (vi) une sorte de bouteille (vii) choisir en votant (viii) un rival (ix) un homme qui habite la campagne (x) un homme très instruit

2. *A l'aide du suffixe* -ier, *formez:*
(i) le nom de l'arbre ou de la plante qui produit: les abricots, les pommes, les roses, les fraises, les bananes
(ii) le nom du récipient à salade, à encre, à sucre, à poivre.

3. Prononciation.
Divisez en syllabes, et prononcez distinctement chaque syllabe:
vétérinaire, castagnettes, abricotier, demoiselle, concurrent, cinquantaine, distribué, crevé, intrigant, immobile

C. *Traduisez en français:*
1. Where are the glasses? John has arranged them on the sideboard. 2. The servant buried the dishes which he had

broken. 3. The salad-bowl slipped from his hands when Blanche came in. 4. It broke and he hid the pieces in his apron. 5. Mr. Caboussat's rival came back from Paris with about fifty red balloons for the children of the electors.

D. *Composez des phrases, en employant les locutions qui suivent:*
1. au lever du rideau   2. au premier plan   3. à gauche
4. faire peur à   5. faire chaud

SCÈNE III

(Pages 80-82)

A. 1. Expliquez les deux sens du verbe *creuser* dans les phrases suivantes: (i) Jean dit: «Je creuse.» (ii) Machut dit de Caboussat: «Il creuse.»   2. Qu'étudie Caboussat?   3. Qu'est-ce que Machut croit que Caboussat étudie?   4. Pourquoi Caboussat cache-t-il son livre?   5. Quelle raison Machut a-t-il de croire que Caboussat sera élu?   6. Que deviendra Caboussat peut-être un jour?   7. Comment croit-il s'être acquis la faveur du père Madou?   8. Pourquoi le père Madou préfère-t-il Chatfinet à Caboussat?   9. Comment Caboussat va-t-il essayer de réparer sa faute?   10. Qu'est-ce que Caboussat va mettre pour faire sa visite au père Madou?

B. 1. *Trouvez dans la troisième scène les mots ou les locutions qui signifient:*
(i) le devant de la scène   (ii) il est absorbé dans ce qu'il lit   (iii) on peut *remplacer* l'infinitif   (iv) la lettre que j'ai adressée aux électeurs a été appréciée   (v) elle était *bien préparée*   (vi) *élu* président   (vii) on est très enthousiaste   (viii) Madou est fâché contre vous   (ix) il affirme   (x) rusé   (xi) une action indigne   (xii) une réponse
2. *Écrivez la forme féminine des adjectifs suivants:*
(i) ambitieux   (ii) gentil   (iii) inutile   (iv) malin   (v) neuf

(vi) ancien (vii) entier (viii) latéral (ix) franc (x) fier

 3. *Mettez au pluriel:*

   (i) mon chapeau neuf (ii) un petit morceau (iii) ce monsieur ambitieux (iv) l'œil fixe (v) un beau chou (vi) le conseil municipal (vii) un mal de tête (viii) la faute principale (ix) une heure entière (x) quelle idée superbe.

 3. **Prononciation.**

   Divisez en syllabes, et soulignez les voyelles nasalisées:
reconnaît, mécaniquement, municipal, deviendrez, ambitieux, principaux, rencontre, intrigant, graine, comice

C. *Traduisez en français:*

When Machut arrived at Caboussat's to look after the cow, it was already dead. It had swallowed a piece of glass which John had not buried properly. Machut also wished to speak to Caboussat about his election. He told him that the leading electors would vote for him but that old Madou had a grudge against him.

 Madou had a field of cabbages of which he was very proud. Caboussat had passed this field ten times without admiring these magnificent vegetables. On hearing this, Caboussat put on his new hat and left at once. He was going to ask old Madou for some of his cabbage seed.

SCÈNE IV

(Pages 82-85)

A. 1. Quel visiteur inattendu arrive chez M. Caboussat? 2. Pourquoi M. Poitrinas ne connaît-il pas très bien Blanche? 3. Quelle opinion s'est-il faite de Blanche? 4. Quel défaut a-t-elle, selon Jean? 5. Que va faire M. Poitrinas pendant sa visite chez M. Caboussat? 6. Qu'espère-t-il trouver à Arpajon? Pourquoi? 7. Que cherche Blanche? Pourquoi ne le retrouvera-t-elle pas? 8. Quel accident est arrivé au fils de M. Poitrinas? 9. Comment Blanche s'explique-t-elle la visite de M. Poitrinas? 10. Quelle question extraordinaire Poitrinas pose-t-il pour la deuxième fois? 11. Pourquoi Poitrinas est-il content que ses fenêtres donnent sur le jardin? 12. Pour quelle raison Jean a-t-il peur de Poitrinas?

B. 1. *Donnez le synonyme ou l'explication des expressions suivantes (pages 82-84 l. 8):*

(i) quelle *drôle d*'idée! (ii) Il *ne tardera pas à* rentrer (iii) *débarrasse-moi de* ma valise (iv) ça ne te regarde pas (v) Comment *se porte* mademoiselle Blanche? (vi) la caisse (vii) *labourer* la terre (viii) la charrue (ix) le séjour (x) faire des *fouilles* (xi) constater (xii) une voie

4. **Prononciation.**

Soulignez les consonnes qui ne se prononcent pas:

monsieur, réponds, faute, lourd, premier, fier (*adj.*), aplomb, chaud, état, diplomate, compter, tout à fait, longtemps, gratis, ronds

C. *Traduisez en français les phrases qui suivent, en imitant les exemples donnés:*

1. EXEMPLE: Quelle bonne surprise! = *What a pleasant surprise!*

(i) What a handsome dancing partner! (ii) What a bad sprain! (iii) What a pity! (iv) What a long handle! (v) What an interesting piece of news!

2. EXEMPLE: Que mon père sera heureux! = *How happy my father will be!*

(i) How surprised Blanche is to see Edmond's father! (ii) How well-bred his daughter is! (iii) How precious this case of pottery is! (iv) How glad Poitrinas is that his windows overlook the garden! (v) How well Edmond dances!

SCÈNES V, VI, VII
(Pages 86-88)

A. 1. Qu'est-ce que Caboussat a rapporté de sa visite chez le père Madou? 2. Comment s'est-il procuré ces légumes? 3. Qu'at-il demandé à Jean d'en faire? 4. Quel était l'obstacle qui s'opposait à sa carrière politique? 5. Quelle règle de grammaire trouvait-il particulièrement difficile? 6. Comment cachait-il ses fautes d'orthographe? 7. Qu'appelle-t-on liaison? Pourquoi Caboussat évitait-il les liaisons? 8. Quelle instruction avait-il reçue? 9. Qui rédigeait les discours savants qu'il prononçait? 10. Quelle est la différence entre *revoir* et *recopier* un discours? 11. Quelles fautes d'orthographe Caboussat avait-il faites dans le premier paragraphe de son discours? 12. De quoi dépendrait la longueur de la visite de Poitrinas?

B. 1. *Remplacez le tiret par une des prépositions données, s'il y a lieu:*

à, de, autour de, grâce à, quant à, par, sans

(i) Caboussat a appris ———— lire. (ii) Il ne sait pas ———— écrire. (iii) ———— ses discours, c'est Blanche qui les rédige. (iv) C'est ———— sa fille qu'il a la réputation de bien parler. (v) ———— Blanche il ferait des fautes d'orthographe. (vi) Son succès dépend ———— elle. (vii) Qu'est-ce qui s'oppose ———— son élection? (viii) Regardez ———— vous. (ix) Deux hommes entrent ———— la porte de derrière. (x) Poitrinas désire———— explorer la région. (xi) Réfléchissez ———— ce que je dis. (xii) Je demanderai ———— Jean ———— faire cuire les légumes.

2. *Mettez les verbes aux temps indiqués:*

(i) présent de l'indicatif (sujet, *nous*):

annoncer, arranger, réfléchir

(ii) présent de l'indicatif (sujet, *il*):

appeler, promener, espérer

(iii) imparfait de l'indicatif (sujet, *ils*):

commencer, rédiger, bondir

(iv) futur (sujet, *vous*):

appeler, promener, espérer

(v) passé défini (sujet, *il*):

lancer, moisir, dépendre

2. Prononciation.

Lisez les phrases suivantes à haute voix, en faisant attention à la liaison:

(i) Sous un bras, Caboussat porte un énorme chou. (ii) Il est important qu'il parle aux électeurs. (iii) Il les appelle ses chers amis. (iv) Quand il est embarrassé il fait un pâté. (v) J'y suis allé à neuf heures. (vi) Vous êtes très aimable. (vii) Nos affaires ne sont pas encore arrangées.

C. 1. *Traduisez en employant la forme réfléchie des verbes:*

(i) That is often seen. (ii) The apricot-tree is (*se trouver*) at the back of the garden. (iii) That may be. (iv) The final letter is not pronounced. (v) The liaison is made here. (vi) The door opens. (vii) The salad-bowl breaks. (viii) These participles agree with the subject. (ix) They embrace. (x) The carriage stops.

2. *Traduisez en français:*

Caboussat had not spent much time at school but he had become rich in the lumber business. Now he hoped to be elected President of the Arpajon Agricultural Society and become mayor some day. He had to make a great many speeches. They were amazing speeches, thanks to his daughter who wrote them (*rédiger*). When he spoke, his mistakes in spelling didn't show, but when he wrote, he had a great deal of difficulty, especially with participles. Whenever he did not know if they agreed he made a blot. By this means he had saved his reputation many times. He was respected and beloved but he would never be mayor because French grammar stood in the way of his plans.

D. *Sujet de composition:* Les ruses des politiciens. (Parlez de Caboussat et de Chatfinet en particulier ou des politiciens en général.)

SCÈNES VIII, IX

(Pages 89-91)

A. 1. Quelle nouvelle Poitrinas a-t-il annoncée à Caboussat?
2. Quels services Caboussat pourrait-il rendre comme académicien? **3.** Quel secret Poitrinas a-t-il confié à son ami? **4.** Quel
était le deuxième motif de la visite de Poitrinas? **5.** Pour
quelles raisons Edmond serait-il un bon parti pour Blanche?
6. Pourquoi Caboussat ne pouvait-il pas découvrir le défaut
d'Edmond? **7.** Qu'est-ce qui faisait croire à Poitrinas qu'il y
avait des antiquités romaines dans le jardin de Caboussat?
8. Pour quelle raison Blanche va-t-elle chez madame de Vercelles? **9.** Qu'apprend-on du caractère de Blanche dans cette
conversation avec son père? **10.** Que désire Caboussat avant
tout pour sa fille?

B. 1. *Trouvez dans le texte les mots ou les locutions qui signifient:*
   (i) Il me *fait entrer* à l'Académie (ii) *copier* les inscriptions
(iii) un jeune homme *sérieux* (iv) le bien qu'une femme apporte
en mariage (v) une confession (vi) le contraire de *franchement*
(vii) si un jeune homme comme il faut demandait ta main

   2. *Donnez le synonyme ou l'explication des termes suivants:*
   (i) le motif (ii) faire des fouilles (iii) vous m'effrayez (iv) le
régime (*gramm.*) (v) insensé (vi) faire toilette (vii) la voisine
(viii) songer

   3. *Donnez l'antonyme des mots suivants:*
   (i) le bonheur (ii) utile (iii) juste (iv) un défaut (v) un vice
(vi) la vie (vii) l'amour (viii) heureuse (ix) honorable (x) paraître

   4. Prononciation. [s], [z]

   Soulignez les lettres qui se prononcent [s], *et entourez d'un cercle
celles qui se prononcent* [z].   *Prononcez chaque mot distinctement.*
   creuser, valise, précisément, vaisselle, liaison, prétentieux,

négociant, académicien, moisissait, lisant, gratis, aux environs, profession, nation, réputation

C. 1. *Étudiez le présent du subjonctif des verbes suivants:*

revoir, avoir, entreprendre, apprendre, être, revenir, profiter, envoyer, faire

2. *En imitant les exemples donnés, traduisez en français les phrases qui les suivent:*

(*a*) EXEMPLE: Il faut que je te fasse un aveu = *I must make a confession to you.*

(i) Blanche has to revise her father's speeches. (ii) Your daughter must have a considerable dowry. (iii) Poitrinas must undertake these important excavations himself. (iv) The best candidate must be elected. (v) You must come back immediately.

(*b*) EXEMPLE: Je désire que tu sois heureuse = *I want you to be happy.*

(i) He wishes us to take advantage of this opportunity. (ii) I want you to send them a report. (iii) Edmond wishes his father to make a proposal of marriage. (iv) Poitrinas wants his son to learn the rule. (v) Above all we want them to be useful.

SCÈNES X, XI

(Pages 92-95)

A. 1. De quoi Caboussat et Jean parlent-ils au commencement de la scène X? 2. Quelles paroles célèbres Poitrinas imite-t-il en disant: «Je suis venu, j'ai fouillé, j'ai trouvé.»? 3. Quels objets Poitrinas a-t-il déterrés? 4. Pour quelles antiquités les prend-il? 5. Pourquoi Jean est-il inquiet en écoutant la conversation entre Caboussat et Poitrinas? 6. Qu'est-ce que Caboussat envoie chercher par Jean? 7. Pourquoi Caboussat n'a-t-il pas encore parlé à Blanche du défaut d'Edmond? 8. Comment Chatfinet a-t-il calomnié Machut? 9. Quel service Machut

demande-t-il à Caboussat? 10. Pourquoi Caboussat ne veut-il
pas faire tout de suite ce que demande Machut? 11. Pour
quelles raisons Machut ne veut-il pas attendre? 12. Comment
Caboussat se tire-t-il d'affaire?

B. 1. *Trouvez dans les scènes X et XI les expressions qui signifient:*
(*Scène X*) (i) la nourriture fine (ii) il n'a pas de confiance
(iii) un ustensile dans lequel on fait rôtir la viande (iv) un bâton
de fer pour rôtir la viande (v) une armure qu'on tient devant
le corps pour se protéger (vi) un instrument qui sert à creuser
(vii) de vieux objets de fer (viii) un moyen indirect

(*Scène XI*) (ix) je serais content de. . . (x) en dehors de la
scène (xi) une fausse accusation (xii) Contre qui es-tu fâché?
(xiii) Il raconte à mon sujet des mensonges effroyables (xiv) un
petit morceau de papier (xv) il y a des insultes. . . (xvi) le
contraire de *l'estime* (xvii) contredire (xviii) immédiatement
(xix) écrire sans soin (xx) une tache d'encre

2. *Écrivez, en indiquant le genre, les noms qui correspondent
aux verbes suivants:*
(i) inviter (ii) dîner (iii) allumer (iv) inscrire (v) marier
(vi) proposer (vii) calomnier (viii) concourir (ix) lier (x) mé-
priser (xi) certifier (xii) piétiner (xiii) élire (xiv) attendrir
(xv) faire

3. **Prononciation.** [ɲ]
Prononcez les mots qui suivent:
campagne, Espagne, castagnette, ligne, indigne, signer, enseigner, répugnance

C. *Traduisez en français:*
Poitrinas was certain that he would find some Roman relics
in Caboussat's garden. "It smells Roman here," he kept re-
peating. Imagine Caboussat's astonishment when his old friend
came in carrying a few rusty objects which he put down on the
dining-room table.

"What's that?" he asked, very much surprised. He had recognized an old Dutch oven which had been thrown away.

"That's a Roman shield," stated Poitrinas.

By cleaning the fragments which he had dug up, he hoped to find some Latin inscriptions. Therefore he sent John to get two cents' worth of whiting.

SCÈNES XII, XIII, XIV

(Pages 95-99)

A. 1. Qu'a fait Machut de la lettre que Caboussat avait écrite? 2. Quelle idée Blanche a-t-elle pour ravoir la lettre? 3. Sous quel prétexte prend-elle la redingote de Machut? 4. Comment Machut s'explique-t-il l'obligeance de Blanche? 5. Quelle découverte importante Poitrinas croit-il avoir faite? 6. Quels fragments de vaisselle a-t-il trouvés? 7. Quelle coutume des Romains explique-t-il aux autres? 8. Pourquoi Caboussat ne détrompe-t-il pas son ami? 9. Pourquoi Caboussat est-il rassuré en revoyant la lettre de Machut? 10. Pour quelle raison Jean sort-il si brusquement?

B. 1. *Donnez le contraire de:*

(i) tout le monde (ii) bas (iii) plein (iv) maladroit (v) ôter (vi) par inadvertance (vii) dessus (viii) déterrer (ix) se reculer (x) la douleur

2. *Écrivez à toutes les personnes:* _____

(i) Me voici de retour. (ii) Ça me fait plaisir. (iii) Je viens d'écrire un certificat moi-même. (iv) Je veux bien, moi. (v) Je me tais.

3. **Prononciation.**

Dans les mots ci-dessous, indiquez les sons représentés par les symboles suivants:

(i) [g] (ii) [ʒ] (iii) [k] (iv) [s]

accepter, antiquité, archéologique, Arpajon, distingué, guérisse, négliger, obligeance, second, soupçonner

C. *Traduisez en français:*
1. At all costs Blanche wishes to get back the letter which her father has just written. 2. Machut has put the certificate in his frock-coat pocket. 3. When she tells John to throw the whiting over Machut, he says in amazement: "I beg your pardon?" 4. "Do take off your coat, Mr. Machut. Blanche will give it a little brushing." 5. Who discovered his hiding-place? What did he find in it? 6. John used to hide everything he broke in a trench under an apricot-tree. 7. "Do you know what this is?" asked Poitrinas, taking pieces of broken dishes from a handkerchief. 8. "It pleases him to think he has found something Roman," said Caboussat to himself.

SCÈNES XV, XVI
(Pages 99-103)

A. 1. Quel grand fait archéologique Poitrinas croit-il avoir établi? 2. Que va-t-il demander à ses collègues de l'Académie? 3. Pourquoi a-t-il besoin d'un canif? 4. Quel service demande-t-il à Caboussat? Pourquoi? 5. Quelle est la difficulté orthographique qui se présente à Caboussat? 6. Que fait-il cette fois pour se tirer d'affaire? 7. Pour quelle raison Poitrinas considère-t-il que Caboussat est un heureux père? 8. Pourquoi veut-il savoir tout de suite si Blanche acceptera la main d'Edmond? 9. Quel inconvénient y a-t-il pour Caboussat? 10. Quel portrait Caboussat fait-il d'Edmond? 11. Comment se fait-il que Blanche ne puisse pas découvrir le défaut d'Edmond en écoutant la lecture de sa lettre? 12. Quelle impression la lettre d'Edmond fait-elle sur Blanche?

B. 1. *Trouvez dans la scène XV les mots ou les locutions qui signifient:*
    (i) tout de suite (ii) un petit couteau de poche (iii) un vieux

morceau d'étoffe (iv) envelopper dans un chiffon (v) Êtes-vous
prêt? (vi) la promenade publique (vii) prendre une maison
pour un terme, en payant (viii) les jeunes mariés (ix) cela ne
me plaît pas (x) c'est impossible (xi) accepter (xii) Je lui ai
demandé de faire de nouvelles excavations.

2. *(Scène XVI) Exprimez en d'autres termes:*

(i) Il ne nous convient pas (ii) une bêtise (iii) dépeindre
(iv) chauve (v) myope (vi) effrayé (vii) frémir (viii) un aveu
(ix) insensé (x) sûr

3. *Remplacez le tiret par la forme convenable de l'article partitif:*

(i) Poitrinas trouve ——— vaisselle cassée et ——— vieux
clous. (ii) Il croit avoir trouvé ——— antiquités romaines.
(iii) On offre ——— vin et distribue ——— petits ballons rouges
avant l'élection. (iv) Est-ce ——— latin que Caboussat étudie?
(v) Il n'y a pas ——— nouvelles. (vi) Caboussat demande à
son voisin ——— graine de ses choux. (vii) Il apporte ———
papier et ——— encre. (viii) Il n'y avait pas ——— verre à
cette époque. (ix) Ne faites pas trop ——— liaisons. (x) Je
prendrai une tasse ——— café. Je ne prends jamais ———
liqueurs.

4. *Prononcez distinctement:*

un, une, aucun, aucune, commun, commune, romain, romaine,
certain, certaine, moyen, moyenne, faim, femme, le nom, il
nomme, bon, bonne, une bonne personne

C. *Traduisez en français:*

Edmond Poitrinas wanted to marry Blanche whom he had
met the preceding summer. They had danced together every
evening. Edmond was affectionate, steady and quite rich.
Nevertheless he had a failing which his father considered almost
a vice.

When Poitrinas spoke to Caboussat about a house in Étampes
that he wanted to rent for the young couple, the latter decided
that Edmond would not suit his daughter at all. How would
he be able to make speeches if Blanche were not there to write

them? Not knowing that she was acquainted with young Poitrinas, he told her that Edmond wasn't a bad fellow but that he was bald and short-sighted. Besides, three of his front teeth were missing.

D. *Composez des phrases qui feront ressortir la différence de sens entre les mots et les expressions qui suivent:*

    1. depuis que—puisque   2. marier—se marier   3. servir—servir à—se servir de   4. sûr—sur   5. en dehors—hors de
6. parce que—à cause de

SCÈNES XVII, XVIII, XIX

(Pages 103-107)

A. **1.** Qu'est-ce que Poitrinas espérait trouver sous le prunier?
2. Quelle réponse fait Caboussat à la demande de Poitrinas?
3. A quelle condition Blanche acceptera-t-elle plus tard peut-être, la main d'Edmond?   **4.** Qu'est-ce que Poitrinas veut faire des objets qu'il a déterrés?   **5.** Pourquoi Blanche pleure-t-elle?   **6.** Où a-t-elle fait la connaissance d'Edmond?   **7.** Quelle nouvelle Machut annonce-t-il?   **8.** Comment va-t-on célébrer le succès de Caboussat?   **9.** Quelle boisson spéciale Jean a-t-il ajoutée pour les gens de la maison?   **10.** Quelle résolution Caboussat prend-il, en voyant la tristesse de sa fille?   **11.** Qu'est-ce que Caboussat annonce à Poitrinas?   **12.** A quelle condition Blanche consentira-t-elle à épouser Edmond?   **13.** Comment Poitrinas s'explique-t-il que Blanche ne désire pas quitter Arpajon?   **14.** Comment Caboussat s'arrangera-t-il pendant l'absence de sa fille? **15.** Quel est le défaut d'Edmond? **16.** Comment pourra-t-il peut-être corriger ce défaut?   **17.** Qu'est-ce qui est plus important dans un ménage que l'accord des participes?

B. **1.** *Exprimez en d'autres termes:*
    (*Scène XVIII*)   (i) vous calomniez M. Edmond **(ii)** il ne te

déplaît pas (iii) avoir l'air de (iv) à la bonne heure (v) c'est l'usage (vi) dans la coulisse (*Scène XIX*) (vii) prendre congé de (viii) causer (ix) il suffira de quelques leçons (x) se charger de

2. *Écrivez les participes passés des verbes suivants:*

abattre, apprendre, s'asseoir, connaître, consentir, déplaire, devoir, écrire, élire, pouvoir, recevoir, remettre, revenir, suffire, voir

3. *Mettez les verbes au passé indéfini, en faisant bien attention à l'accord des participes:*

(i) Les enfants se sauvent quand ils voient la vache. (ii) Blanche s'achète un chapeau neuf et va voir la voisine. (iii) M. Caboussat écrit une lettre qu'il remet à Machut. (iv) Quelle nouvelle apprennent-ils quand ils reviennent de la ville? (v) Nous lui rendons le service qu'elle nous demande.

4. **Prononciation.**

(*a*) *Indiquez les consonnes muettes:*

à part, habiter, gentil, doigt, prompte, d'abord, dot, entier, embarras, franc, parc, tout le monde, pied, pot, puisque

(*b*) *Lisez à haute voix en supprimant les «e» muets:*

(i) tout l(e) monde (ii) tout d(e) suite (iii) c'est conv(e)nu (iv) mad(e)moiselle (v) au point d(e) vue (vi) je m(e) coup(e)rai (vii) tout c(e) qu'il dit (viii) Que f(e)rai-j(e)? (ix) Je viens d(e) causer avec lui. (x) Nous n(e) sommes pas des participes.

C. *Au sujet de chacune des citations suivantes dites* (*a*) *qui parle* (*b*) *dans quelles circonstances:*

(i) Vous deviendrez peut-être notre maire un jour. (ii) Une chose s'oppose à mes projets—la grammaire française. (iii) Ça sent le romain. (iv) Elle est un peu regardante sur la vaisselle. (v) Je suis venu, j'ai fouillé, j'ai trouvé. (vi) Il est embêtant. Il déterre tout ce que je casse. (vii) Il prétend que j'ai tué votre vache. (viii) Un bon jeune homme . . . affectueux . . . rangé. (ix) Jette tout cela sur Machut. (x) Démission prend deux *s*. (xi) J'ai un moyen, je me couperai.

D. *Sujet de composition:*

1. Étude du caractère d'un des personnages de la pièce.

2. De l'importance d'une bonne instruction dans la vie. (Vous pouvez prendre Caboussat comme exemple.)

VOCABULARY AND NOTES

Vocabulary and Notes

A

à to, at, in; **à nous deux!** let's have a go at it! **à nous trois** among the three of us

un **abaissement** a b a s e m e n t, humbling

abaisser to lower; **s'abaisser** to go down

un **abandon** desertion, neglect, destitution

abandonner to abandon, leave, desert

abattre (*like* **battre**) to knock down, fell, cut down; **s'abattre** to crash down; **abattre de la besogne** to get through a lot of work

abattu, –e dejected

un **abécédaire** s p e l l i n g - b o o k, primer

abîmer to spoil, damage, injure

abonder to abound

un **abord** approach; **d'abord** first, at first; **tout d'abord** at first

un **abricotier** apricot-tree

abrutir to astound

une **absence** absence

absorbé, –e absorbed

un **académicien** a c a d e m i c i a n, member of an academy

une **académie** academy, society (of letters, science or art)

accepter to accept

un **accès** access, approach; **donner accès à** to lead to

accidentellement accidentally

acheter to buy

un **acheteur** purchaser, buyer

un **accommodement** arrangement, ways and means

accompagner to accompany

accomplir to accomplish, complete

un **accord** agreement

accorder to reconcile, grant; **faire accorder** to make agree; **s'accorder** to agree

accoter (*Can.*) to equal, hold one's own against

accourir (*like* **courir**) to run up, hasten up

accoutumé, –e accustomed; **comme à l'accoutumée** as usual

une **accumulation** accumulation

une **accusation** accusation

accuser to accuse

un **achèvement** completion

achever to finish, end, conclude

acquérir (**acquérant, acquis, j'acquiers, j'acquis, j'acquerrai, que j'acquière**) to acquire

une **action** action

une **activité** activity

une **adhésion** adhesion, adherence

un **adjectif** adjective

admettre (*like* **mettre**) to admit

admirable admirable
admirablement admirably
une **admiration** admiration
admirer to admire
adorer to adore
une **adresse** address, skill
adresser to address, to ask (questions)
un **adverbe** adverb
une **affaire** affair, matter, thing; **les affaires** business; **avoir affaire à** to have to do with
affairé, –e busy, bustling
affectueux,–euse affectionate
une **affiche** placard, poster, bill, notice
afficher to post
affirmer to affirm, assert, state
affligé, –e afflicted, suffering
affolé, –e panic-stricken
affreux, –euse frightful
affronter to face, confront, brave
afin de in order to, to
un **âge** age
agenouiller: s'agenouiller to kneel
agile agile, nimble
agir to act; **s'agir de** to be a question of, be at stake
agiter to agitate, move, stir, wave, excite, shake; **s'agiter** to stir, move; **agité,–e** excited
un **agneau, –x** lamb
un **agnostique** agnostic
agrandir to enlarge, extend, increase
agréable agreeable, pleasant
agréer to accept
agricole agricultural
agriculture *f.* agriculture

une **aide** help, assistance; **à l'aide de** with the help of
un **aide-meunier** miller's helper
aider to aid, assist, help
aïe! ouch! oh!
une **aiguille** needle, pointer
une **aile** wing
ailleurs elsewhere; **d'ailleurs** moreover, besides
aimable amiable, agreeable, pleasant, kind, nice
aimer to like, love
aîné, –e elder, eldest
ainsi thus, so; **ainsi que** as well as, as also
un **air** air, look, tune; **avoir l'air** to look, seem
airain *m.* bronze, brass; *(fig.)* bells
aise *f.* ease, comfort, convenience; **être bien aise** to be glad; **se sentir mal à l'aise** to feel uncomfortable
aisé, –e easy, comfortable
ajouter to add
ajuster to adjust, aim at
une **alarme** alarme; **donner l'alarme** to sound the alarm
alerte alert, quick, active
une **alerte** alert, alarm
Alexandre *Alexander the Great of Macedon* (356 *to* 323 *B.C.*), *the famous conqueror*
allemand, –e German
aller (**allant, allé, je vais, j'allai, j'irai, que j'aille**) to go; **s'en aller** to go away; **allons bon!** well now! **va donc!** do as I tell you; **ça va bien** that's all right; **ça ne me va pas** that doesn't suit

me

aller *m.* going, outward journey; **pis aller** last resort; **au pis aller** if the worst comes to the worst; **voyage, aller et retour** journey there and back

allumer to light

une **allumette** match; **allumette chimique** phosphorus match

une **allusion** allusion

alors then, so

une **alouette** lark

Alsace *f. Alsace, a province of France, ceded to Germany in* 1871, *restored to France in* 1918

alsacien, –ienne Alsatian

ambitieux, –ieuse ambitious

une **ambition** ambition

une **âme** soul, spirit, heart

améliorer to ameliorate, improve; **s'améliorer** to get better, improve

une **amende** fine

amener to bring, take

ameuter to stir up, excite

un **ami**, une **amie** friend

une **amorce** fuse, percussion cap

un **amour** love, passion

amoureux, –euse in love; un **amoureux** lover

amuser to amuse; **s'amuser** to enjoy oneself, have a good time

un **an** year; **le jour de l'an** New Year's Day

ancien, –ienne former, old, ancient

un **âne** ass, donkey, fool

un **ange** angel

Angélus [ɑ̃ʒely: s] *m.* Angelus (-bell)

anglais, –e English

Angleterre *f.* England

une **angoisse** anguish, distress, agony

un **animal, –aux** animal, fool, blockhead

animer to animate; **s'animer** to become excited

une **année** year

une **annonce** announcement, notice, advertisement

annoncer to announce

antérieur, –e previous

une **antichambre** antechamber

une **antiquité** antiquity

un **antonyme** antonym

anxieux, –ieuse anxious, uneasy

apaiser to appease, pacify

apercevoir (**apercevant, aperçu, j'aperçois, j'aperçus, j'apercevrai, que j'aperçoive**) to perceive, notice; **s'apercevoir(de)** to realize, notice, become aware of

un **aperçu** glimpse, insight, view

aplatir to flatten, silence

un **aplomb** balance, (self-) assurance, cheek, nerve

une **apoplexie** apoplexy

apparaître (*like* **paraître**) to appear

apparemment apparently

une **apparence** appearance

une **apparition** apparition, appearance

un **appartement** apartment, flat

appas *m. pl.* charms, attraction

un **appel** call, roll-call, summons; **manquer à l'appel** to be absent

appeler to call, name; **s'appeler** to be named, be called

un **appétit** appetite

appliquer to apply; **s'appliquer** to apply oneself, work hard

apporter to bring

apprécier to appreciate

apprendre (*like* **prendre**) to learn, teach

un **apprenti** apprentice

approcher to approach, draw up, move *or* bring near; **s'approcher** (**de**) to approach

approuver to approve

appuyer to support, lean, rest, press

après after, afterwards; **après ça** after all; **d'après** from, according to

une **araignée** spider

un **arbre** tree; **arbre de couche** driving-shaft

un **archange** [arkɑ̃ːʒ] archangel

archéologique [arkeɔlɔʒik] archaeological

ardent, –e ardent, burning

Arène, Paul (1843-1896), *French writer, native of Provence. He was a member of the group which tried to revive Provençal, and some of his works are written in this language.* Propos de chasse *is taken from* Contes de Paris et de Provence.

argent *m.* silver, money

argenterie *f.* silverware

un **argument** argument

une **arme** arm, weapon

une **armée** army

armer (**de**) to arm (with)

une **armoire** wardrobe, cupboard

une **armure** armour

Arpajon *small town in the department of Seine-et-Oise*

un **Arpajonais** *a citizen of Arpajon*

un **arpent** acre; **faire un arpent** to plant an acre

arranger to arrange, settle; **s'arranger** to manage, get along

arrêter to stop; **s'arrêter** to stop

arrière back, behind; **en arrière** behind, backward

arrière-train *m.* hind-quarters

une **arrivée** arrival

arriver to arrive, happen; **arriver** (**à faire quelque chose**) to manage

un **arrondissement** district

arroser to water (plants), sprinkle

un **art** art

un **article** article

articuler to articulate, pronounce distinctly

artificiellement artificially

un **artiste** artist, player, performer

un **ascendant** ancestor, parent

un **aspect** aspect, appearance

un **assaut** assault, onset

assembler to assemble, gather

asseoir (**asseyant, assis, j'assieds, j'assis, j'assiérai, que j'asseye**) to seat; **s'asseoir** to sit down, be seated, seat oneself

assez enough, sufficiently, rather, quite

une **assiette** plate

assis (*past part. of* **asseoir**) seated, sitting

assister (**à**) to attend, be present (at)

assommer to knock senseless, stun, to overpower

assoupir to make drowsy

une **assurance** assurance, confidence

assurer to assure; **s'assurer** to make sure of

un **astiquage** (action of) polishing

atroce atrocious, awful

un **attaché** attaché

attacher to attach, fasten, tie up

attaquer to attack, assault, take hold of; **s'attaquer à** to attack

atteindre (**atteignant, atteint, j'atteins, j'atteignis**) to attain, reach, come to

une **atteinte** reach, attack

attendre to wait (for), await, expect; **s'attendre à** to expect; **en attendant que** until; **en attendant** in the meantime

un **attendrissement** feeling, emotion

une **attente** wait

attentif, -ive attentive

attention *f.* attention; **faire attention** to pay attention

atterré, -e utterly crushed, horror-stricken

attirer to attract, draw, draw

toward oneself

une **attitude** attitude

un **attrait** attraction, charm

attraper to catch

attribuer to attribute

une **auberge** inn

aucun, -e any, no, none; **ne ... aucun** no, not any, none

aucunement in any way; **ne . . . aucunement** in no way, not at all, by no means

une **audace** audacity, daring

audacieux, -ieuse audacious

au-dessus (**de**) above, over, beyond

auditif, -ive auditory

aujourd'hui to-day

un **aumonier** distributor of alms

auparavant before, previously

auprès near by; **auprès de** near, by, close to

aussi also, too, likewise, as, so

aussitôt at once, immediately

autant as much, as many; **d'autant plus que** especially as; **autant que** as much (many) as

un **auteur** author

une **autorisation** authorization, authority, permission

autour de about, around

autre other; **rien autre** nothing else; **nous autres les vieux** we older people; **autre chose** something else; **ni l'un ni l'autre** neither; **pour nous autres** for us (folk)

autrefois formerly, in former times

avaler to swallow

une **avance** advance; **à l'avance**

in advance; **d'avance** before-
hand

avant before; **avant de** + *inf.*
before; **avant tout** first of
all

avant que before

un **avantage** advantage

avantageux, –euse a d v a n -
tageous

avare miserly; un **avare** miser

une **avarice** avarice, stinginess

avec with

un **avènement** coming, advent

un **avenir** future; **à l'avenir** in
future

une **aventure** adventure

avertir to warn

un **aveu, –x** avowal, confession

aveugle blind

un **aviron** oar; wheel of fortune

un **avis** opinion, notice; **m'est
avis que** methinks, it occurs
to me

aviser to inform; **aviser** (**à**)
consider (how to); **s'aviser**
(**de**) to think of, dare, pre-
sume to

avisoire *m.* (*Can.*) good advice

avoir (**ayant, eu, j'ai, j'eus,
j'aurai, que j'aie**) to have;
il y a there is (are); **il y a dix
jours** ten days ago; **j'ai à
vous parler** I have something to say to you; **qu'as-
tu?** what is the matter with
you? **avoir peur** to be afraid;
avoir honte to be ashamed;
avoir envie de to feel like;
avoir l'air de to appear to;
avoir beau tourner to turn
in vain; **en avoir à** to have a
grudge against

un **avoué** solicitor

avouer to avow, confess

B

le **babil** prattle

le **bachelier** bachelor; **se faire
recevoir bachelier** to get
the degree of bachelor

bah! bah! nonsense! pooh!

la **baie,** bay, bay-window

baigner to bathe

le **baïle** (*or* **vaïle**) *Provençal for*
valet de ferme farm-hand

baiser to kiss

baisser to lower, cast down;
se baisser to stoop

le **bal** ball, dance

le **balai** broom

la **balance** balance, scales

balancer to balance, swing,
sway; **se balancer** to swing,
sway

balbutier to stammer

le **baliveau, –x** sapling

la **balle** ball, bullet, shot; **faire
balle** to strike home

le **ballon** balloon

le **banc** bench, seat; **banc
d'œuvre** churchwarden's
pew

la **bande** band, troop, gang

le **bandit** bandit

la **bandoulière** shoulder-strap;
en bandoulière slung over
the shoulder

la **banque** bank

le **banquier** banker

le **baptême** [batɛ:m] baptism

la **barbe** beard; **à la barbe de** in
the face of

le **baril** barrel, keg

la **barrure** (*Can.*) partition between stalls, stall

bas, basse low, in a low tone, in a whisper

bas *adv.* low; **là-bas** down there, yonder

le **bas** bottom; **la pièce du bas** lower room; **se jeter à bas du lit** to jump out of bed; **à bas Chatfinet!** down with Chatfinet!

la **bassesse** baseness, servility, contemptible action

la **bataille** battle

le **bateau, –x** boat

le **bâtiment** building; **les bâtiments** (*Can.*) barn and sheds; **il s'en fut vers les bâtiments** he went off to the barn

bâtir to build

le **bâton** stick, cane, (*in writing*) stroke

la **batterie** (*Can.*) threshing-floor, barn-floor

battre (battant, battu, je bats, je battis) to beat, strike; **se battre** to fight

bavard, –e talkative

beau, bel, belle, beaux, belles beautiful, fine, handsome; **la belle** fair one, beauty

beaucoup much, many, very much, a great deal

la **beauté** beauty

bêcher to dig

bégayer to stammer

la **bénédiction** blessing

bénéficier (de) to profit (by)

le **bénitier** holy-water basin *or* font

bercer to rock

le **berger** shepherd; **la bergère** shepherdess

bésicles *f. pl.* spectacles

la **besogne** task, work, labour, piece of work

le **besoin** need, necessity; **au besoin** if necessary

le **bétail** cattle

bête stupid, foolish

la **bête** beast, animal, creature

la **bêtise** stupidity, folly, silliness

la **betterave** beet

le **biais** slope, expedient, roundabout way

le **bibelot** curio, knick-knack

bien well, very, much, very much, many, nice, attractive; **être bien** to be comfortable

le **bien** good, property, possession; **les biens** property, goods

le **bienfait** benefit, kindness, blessing

bienheureux,–euse blessed

bientôt soon; **à bientôt** goodbye for a little while

le **bigot** religious bigot

le **bijou, –x** jewel

le **bijoutier** jeweller

le **billet** note, ticket, promissory note, bill

biographique biographic(al)

la **bise** north wind

blâmer to blame, find fault with

blanc, blanche white

le **blanc,** white; **blanc d'Espagne** whiting

le **blanc-bec** *fam.* green-horn

le **blé** wheat, grain

blême pallid

blessé, –e wounded; le **blessé** wounded person

bleu,–e blue

le **bœuf** [bœf] les **bœufs** [bɸ] ox

le **bohémien,** la **bohémienne** gypsy

boire (buvant, bu, je bois, je bus, je boirai, que je boive) to drink; à boire! a drink!; le **manger et le boire** food and drink

le **bois** wood, woods; **bois de charpente** timber

la **boisson** drink

la **boîte** box

boiter to limp

bon, bonne good, kind; **à quoi bon?** what is the use (of) **faire si bon** to be so pleasant; **être bon pour** to be kind to

bondir to bound, leap

le **bonheur** happiness, good luck (*or* fortune)

le **bonhomme** old fellow, simple fellow, good-natured man

le **boniment** showman's speech, humbug, smooth talk

bonjour *m.* good-day, good-morning

la **bonne** maid, servant

le **bonnet** cap

la **bonté** kindness, benevolence

le **bord** edge, border, rim; **mangé aux bords** dog-eared

le **bordeaux** Bordeaux wine

la **botte** boot, bundle (of hay)

la **bouche** mouth

le **boucher** butcher

boucher to stop, close up; **se**

boucher les oreilles to stop one's ears

boucler to buckle, fasten

le **bouclier** shield, buckler

la **boue** mud

bouger to budge, stir, move

la **bougie** candle

bouillonner to bubble, boil up; **ça bouillonne** there is great enthusiasm

bouleverser to upset

le **bouquet** bouquet

le **bourbon** Bourbon whisky

bourgeois,–e middle class (citizen)

la **bourrasque** squall, gust of wind

bourrer to stuff, fill

la **bourse** purse, bag

le **bout** end, tip, bit; **à bout** at an end, exhausted; **au bout de** at the end of, after

la **bouteille** bottle

la **boutique** shop

le **bouton** button, handle, knob

le **bracelet** bracelet

le **braconnier** poacher

la **branche** branch

brandir to brandish, swing

le **bras** arm

le **brasier** fire of live coals

brave (*after the noun*) brave, courageous; (*before the noun*) good, decent, honest

la **bravoure** bravery, valour

bref, brève brief, short; *adv.* briefly, in a word

breton, –onne Breton; la **Bretonne** Breton girl (*or* woman)

la **bride** bridle

le **brigand** brigand, bandit, rascal

le **brigandage** brigandage, highway robbery

brillant, −e brilliant

briller to shine, sparkle

la **brindille** sprig, twig, wisp (of hay)

briser to break, shatter

britannique British

la **broche** spit

broder to embroider

le **bronze** bronze

la **brosse** brush; **un coup de brosse** a little brushing

brosser to brush

le **brouhaha** uproar, hubbub

le **brouillard** fog, mist

brouter to browse, crop

le **bruit** noise, rumour

brûler to burn

brusquement suddenly, roughly, abruptly

la **brutalité** brutality

le **buffet** sideboard

la **buffleterie** leather, equipment

le **bureau** office, desk

le **butin** booty

le **butor** dolt, blockhead

la **butte** knoll, mound, **rise**

C

ça (*contraction of* **cela**) that

çà here; **ah çà** now then! by the way

cabaler to plot, intrigue

le **cabinet** office, study, Cabinet (*gov.*)

cacher to hide

la **cachette** hiding-place

cadet, −ette younger, junior

le **café** coffee

la **cage** cage, coop

la **caille** quail

la **caisse** case, box, cash-box, till, safe

caler to steady, set firmly

calme calm, still, quiet; le **calme** stillness

la **calomnie** calumny, slander

calomnier to slander

le **calorifère** heating apparatus

la **calotte** skull-cap

camarade *m. or f.* companion, friend, chum

le **cambrioleur** housebreaker, burglar

le **camp** camp

la **campagne** country, field, country-side, campaign

la **canardière** duck-gun

le **canif** penknife

la **canne** stick, cane

le **canon** cannon, rifle-barrel

le **canton** canton, district

la **cantonade** wing (*on the stage*)

capitonner to upholster, pad; **capitonné avec des tentures** heavily hung with tapestries

car for

le **caractère** character

la **carafe** water-bottle, decanter

caramba! (*mild Spanish oath*) Confound it!

le **carême** Lent

le **carnier** game-bag

le **carreau** square, window-pane

la **carrière** career

la **carte** card, map

le **cas** case, instance, circumstance; **en tout cas** in any case, however

la **caserne** barracks

caserner to quarter (troops in barracks)

casser to break; **se casser** to break

la **casserole** saucepan

la **castagnette** castanet

la **caste** caste, exclusive social position

catholique Catholic

la **catin** (*obs.—abbreviation of Catherine*) Katy, farm-wench

la **cause** cause; **à cause de** because of

causer to cause, to chat, talk

la **causerie** talk, chat

causeur, —euse talkative, chatty; le **causeur** talker, conversationalist

la **cave** cellar

ce, cet, cette, ces *adj.* this, that, these, those

ce *pron.* he, she, it, they, this, that, these, those; **ce qui, ce que** which, what; **c'est que** the fact is

ceci this

la **cécité** blindness

cela that

céleste celestial, heavenly

celui (**-ci -là**), **celle, ceux, celles,** this (that) one, the one, he, she, they, these, those

la **cendre** ash(es)

la **censure** censure, blame

cent (one) hundred

central, —e (**-aux**) central

le **centre** centre

le **centurion** centurion

cependant yet, still, nevertheless, however

le **cercle** circle

certain,—e certain

certainement certainly

certes most certainly

le **certificat** certificate

certifier to certify

la **cervelle** brain(s); **se creuser la cervelle** to rack one's brains

César Caesar

cesse *f.* cease, ceasing; **sans cesse** without ceasing, constantly

cesser to cease, stop

chacun,—e each, each one, every one

le **chagrin** grief, disappointment

Chaine, Pierre (1882-   ), *French writer, born in the department of Ain and educated in Paris. He is known especially as a writer of short stories and plays.* Le Cas étrange de M. Bonneval *in which M. Bonneval makes one of his numerous experiments in bringing up his two "problem" children, is an episode from* Les Scrupules de M. Bonneval.

la **chaîne** chain

la **chair** flesh

la **chaire** teacher's desk (*on a platform*), pulpit

la **chaise** chair

la **chaleur** heat

le **chambranle** jamb, frame (*of door or window*)

la **chambre** room, chamber, bedroom; **faire une chambre** to do (*or* put in order) a room; **chambre à coucher** bedroom

le **champ** field; **sur-le-champ** at once

les **Champs-Élysées** [ʃāzelize]
avenue in Paris leading from
the Place de la Concorde to
the Arc de Triomphe
la **chance** chance, (good) luck
  chanceler to stagger, totter
  changeant, –e changeable,
    variable, fickle
le **changement** change
  changer to change; **changer**
    de to change
le **changeur** money-changer
la **chanson** song
le **chant** singing, song, chant
  chanter to sing, crow
le **chanteur**, la **chanteuse**
    singer
le **chapeau, –x** hat
le **chapelain** chaplain
le **chapelet** rosary, chaplet,
    string (of diamonds)
  Chapsal *French grammarian*
  chaque each, every
la **charge** load, burden, charge
  charger to load, charge, com-
    mission, entrust; **se charger**
    de to look after
  charmant, –e charming
le **charme** charm, spell
  charmer to charm
la **charpente** frame(work); **bois**
    de charpente timber
la **charrette** cart
le **charroyage** (*Can.*) hauling
la **charrue** plough
la **chasse** chase, hunting
le **chasseur** hunter
le **chat** cat
le **château,–x** castle, mansion
  Chateaubriand, François-
    René, vicomte de (1768-
    1848), *French author, born*

in Saint-Malo. His naturally
poetic temperament was in-
fluenced greatly by the melan-
choly landscape of his native
Brittany and the vastness and
solemnity of the near-by
ocean.   In 1791 he visited
America, travelling from the
coastal cities to Niagara and
Ohio.   The primitive gran-
deur of the American forests
impressed him deeply.   As
an émigré noble he lived in
England.   In 1806 he visited
the Near East.   Under the
Restoration he was ambas-
sador to Berlin and London
and minister of foreign af-
fairs, but withdrew from poli-
tics after the revolution of
1830.   At his request he was
buried near Saint-Malo on
the lonely rock of Grand Bé,
facing the sea.   Chateau-
briand's chief work is Le
Génie du Christianisme. *The*
most outstanding qualities of
his work are his fertility of
imagination, the power and
beauty of his descriptions
and the harmony and rhythm
of his style.   He exerted a
great influence on the de-
velopment of French litera-
ture in the nineteenth century
and especially on the poets
of the Romantic school.
  chaud, –e hot, warm; **faire**
    chaud to be warm
la **chaumière** (thatched) cottage
  chauve bald
le **chemin** road, way

la **cheminée** chimney, fireplace
la **chemise** shirt
le **chêne** oak
le **chèque** cheque
cher, chère dear, expensive
chercher to look for, seek, search, go for, fetch, (go and) get, try; **aller chercher** to go for, fetch, go and get; **venir chercher** to come for
chéri, –e darling, dear
le **chérubin** cherubim
le **cheval, –aux** horse; **à cheval** on horseback, astride
la **chevelure** head of hair, hair
le **cheveu, –x** hair
le **chevron** rafter, chevron, long-service stripe
chez to (at, in) the house (home, office, shop, *etc.*) of
chic smart
le **chien** dog; **un mal de chien** a great deal of trouble
le **chiffon** rag
le **chiffre** figure, number, monogram
chimique chemical
le **chœur** chorus, choir (of singers), chancel
choisir to choose
le **choix** choice
chômer to be out of work
la **chose** thing; **quelque chose** *m.* something; **tout chose** queer, out of sorts
le **chou, –x** cabbage
la **chouette** screech-owl
chrétien, –ienne Christian
chuchoter to whisper
chut! [ʃ:t] hush! *or* sh!
-ci *abbreviation of* **ici** *used after a noun or pronoun to* *indicate what is nearer in place or time, as*: **à cette heure-ci** at this hour
ci-dessous below
ci-dessus above
le **ciel**, les **cieux** sky, heaven
cinq five
la **cinquantaine** about fifty
cinquième fifth
la **circonstance** circumstance, occasion
la **circulaire** circular
la **citadelle** citadel
la **citation** quotation
le **citoyen**, la **citoyenne** citizen
le **civet** stew
clair, –e clear; **le clair de lune** moonlight
clamer to shout
claquer to crack, to clap, to chatter (*of teeth*); **claquant des dents** with teeth chattering
la **clarté** clarity, light
la **classe** class, school-room; **faire la classe** to teach
le **classement** classification
la **clef** [kle] key
clic! click
le **climat** climate, region; **sous un climat méridional** in a southern climate
le **cliquetis** rattling, jingling
la **cloche** bell
la **cloison** partition, wall
clos, –e closed; **à la nuit close** after dark
la **clôture** enclosure, fence
le **clou** nail
le **coche** coach, barge, passenger-boat (towed by horses)
le **cocher** cabman, driver

le **cœur** heart; **en avoir le cœur net** to get to the bottom of it, know the rights of it

le **coffre** chest, coffer; **coffre de sûreté** safe

le **coffre-fort** safe, strong-box

le **coffret** small box; **coffret à bijoux** jewel-case

cogner to knock

la **coiffe** head-dress, cap

le **coin** corner

la **colère** anger

le **collègue** colleague

le **collier** necklace

la **colline** hill

le **colonel** colonel

la **colonne** column

combien how much, how many

le **comice** meeting; **comice agricole** agricultural meeting *or* society

la **commandature** headquarters (*military*)

commander to command, order

comme as, like, as if, how; **comme ça** so then; **comme qui dirait** as you might say

le **commencement** commencement, beginning

commencer (à) to begin

comment how, what, indeed! why!

le **commerçant** merchant

le **commerce** commerce, business

commercial, –e, –iaux commercial

le **commis** clerk

la **commission** commission

commode convenient

commun, –e common, vulgar

la **commune** commune (*smallest territorial division in France*)

la **communication** communication

communiquer to communicate

la **compagnie** company

comparable comparable

le **compatriote** compatriot, fellow-countryman

le **complément** complement, object (*gram.*)

complet, –ète complete, full

complètement completely

compléter to complete

comporter to allow (of), call for, require, include

composer to compose

la **composition** composition

comprendre (*like* **prendre**) to understand

compromettre (*like* **mettre**) to compromise

le **compte** [kɔ̃:t] count, number, account; **sur mon compte** concerning me; **se rendre compte de** to realize, understand; **tout compte fait** taking everything into account

compter [kɔ̃te] to count, reckon, calculate

le **comptoir** [kɔ̃twa:r] counter

le **concert** concert, chorus

la **concession** concession

concevoir (*like* **recevoir**) to conceive

concierge *m. and f.* door-keeper, caretaker

conclure (**concluant, conclu, je conclus, je conclus**) to conclude

le **concurrent** competitor, rival, opponent

condamner [kɔ̃danɑ] to condemn

la **condition** condition; **faire condition que** to stipulate that; **en condition** in service

conduire (conduisant, conduit, je conduis, je conduisis) to conduct, lead, take, manage, drive

le **conduit** passage

la **conduite** conduct

le **cône** cone

la **conférence** conference, lecture

la **confession** confession

la **confiance** confidence, faith

confier to confide, entrust

la **configuration** configuration, outline, shape

confondre to confound

conforme (**à**) conformable (to), consistent (with), in accordance (with)

la **confusion** confusion

le **congé** leave, holiday; **donner congé** to give a holiday

la **congrégation** congregation

conjurer to plot, conspire, to conjure up, to avert, ward off (*ill luck*)

connaître (connaissant, connu, je connais, je connus) to know, be acquainted (with), to understand; **il s'y connaissait** he was an expert

connu,–e (*p.p. of connaître*) known

la **conquête** conquest

la **conscience** conscience

le **conseil** counsel, (piece **of**) advice, council

conseiller to counsel, advise

consentir (*like* **sentir**) to consent

conséquent: par conséquent consequently, so, therefore

considérable considerable, important

considérer to consider, respect

consister (en) to consist of

consoler to console, comfort

la **consonne** consonant

constamment constantly

constater to establish, verify, ascertain, note

la **consternation** consternation, dismay

consulter to consult

la **contagion** contagion

le **conte** story, tale

contempler to contemplate, gaze at

contenir (*like* **tenir**) to contain; **se contenir** to restrain oneself

content, –e contented, satisfied, glad

le **contentement** contentment, satisfaction

contenter to content; **se contenter de** to be satisfied with

conter to relate, tell

continuel, –elle continual, constant

continuer to continue

la **contrainte** constraint

le **contraire** contrary, opposite; **au contraire** on the contrary

le **contraste** contrast

contre against

le **contre-coup** rebound, after-effects

contredire (*like* **dire** *except 2nd pl. pres. indic. and impve.* — **contredisez**) to contradict; **contredire à** to oppose

contribuer to contribute

convaincre (**convainquant, convaincu, je convaincs, je convainquis**) to convince

convenable suitable, proper

convenir (*like* **venir**) to agree, suit

la **conversion** conversion

convertir to convert

la **conviction** conviction

la **copie** copy, transcript

copier to copy

le **coq** cock, rooster

coquet, –ette coquettish, smart, dainty

le **coquin** rogue, rascal, knave

la **corbeille** basket

la **corde** rope, cord, line

le **cornet** small horn, trumpet; **mettre la main en cornet** to cup the hand behind the ear

le **corps** body

correct,–e correct, (all) right

correspondant, –e corresponding

correspondre to correspond

corriger to correct

la **corvée** forced *or* statute labour, fatigue (task *or* duty)

la **côte** rib

le **côté** side, direction; **à côté de** beside; **de mon côté** in my direction, for my part; **du côté de** in the direction of

le **coton** cotton

le **cou** neck

le **coucher** setting; **coucher du soleil** sunset

coucher to put (go) to bed, sleep; **se coucher** to go to bed, lie down, set (*of sun*)

coudre (**cousant, cousu, je couds, je cousis**) to sew; **être tout cousu d'or** to have one's pockets well lined with gold

couler to flow, run, run off

la **couleur** colour

la **coulisse: dans les coulisses** in the wings (*of the theatre*), behind the scenes

le **coup** knock, blow, stroke, shot, **tout à coup** suddenly; **tout d'un coup** all at once; **coup d'œil** view, glance; **du premier coup** at the first blow, right away

coupable guilty

le **coupé** coupé

couper to cut; **se couper** to cut oneself; **couper à quelque chose** to avoid doing something

la **cour** court, yard, courtyard

le **courage** courage

courageusement courageously

le **courant** current; **être au courant de** to know all about

courber to bend

courir (**courant, couru, je cours, je courus, je cour-**

rai, que je coure) to run; **faire courir le bruit** to circulate the rumour; **s'en courir** to run, hasten

le **courroux** anger, wrath

le **cours** course, promenade, avenue, boulevard

la **course** run, running, path, way, course; **prendre sa course** to start running

court,–e short; le **court-circuit** short-circuit

la **courvée** *Can.* (= **corvée**) bee (*gathering of neighbours for combined work or amusement e.g. barn-raising*)

le **couteau, –x** knife

coûter to cost

la **coutume** custom, habit; **de coutume** usual, usually

le **couvent** convent

la **couverture** covering, blanket

couvrir (*like* **ouvrir**) to cover

la **craie** chalk

craindre (**craignant, craint, je crains, je craignis**) to fear

la **crainte** fear

craintif, –ive timid, fearful

le **craquement** cracking

la **création** creation

créer to create

le **Créole** Creole

creuser to dig, hollow (out); **se creuser la cervelle** to rack one's brains

le **creux** hollow

le **crève-cœur** heart-break

crever to burst, break

le **cri** cry, shout, call

crier to cry, cry out, shout

le **crime** crime

croire (**croyant, cru, je crois, je crus**) to believe, think

la **croix** cross

la **croquignole** fancy biscuit; (*Can.*) cake, fried in fat

la **crosse** butt (*of a gun*)

croyable credible, believable

la **croyance** belief

croyant, –e believing; le **croyant** believer, les **croyants** the faithful

la **crudité** rawness, crudeness

cuber to cube, find the cubical contents

cuire (**cuisant, cuit, je cuis, je cuisis**) to cook; **faire cuire** to cook; **vin cuit** grape-juice (thickened to a syrup)

la **cuisine** kitchen

la **cuisinière** cook, Dutch oven

la **cuisse** thigh

le **cuivre** copper, brass

la **culotte** breeches

cultiver to cultivate, till

le **curé** parish-priest, **monsieur le Curé** Father

curieux, –ieuse curious

la **cuve** vat, tub, font

la **cuvette** wash-basin

D

d'abord first, at first

d'ailleurs besides

dame! well! indeed!

la **dame** lady; **une partie de dames** a game of draughts (*or* checkers)

damner [dɑne] to damn

le **danger** danger

dangereux, –euse dangerous

dans in, into, within

la **danse** dance

danser to dance

le **danseur,** la **danseuse** dancer, dancing partner

dater to date

Daudet, Alphonse (1840-1897), *French author, was born at Nîmes and died in Paris. Owing to the failure of his father's business he was forced to earn his own living at an early age and spent an unhappy year as an usher in a boys' school.* Le Petit Chose *contains reminiscences of these years.* Les Lettres de mon moulin (1867), *a collection of charming sketches of his native Provence, were written from a deserted mill near Arles, the mill mentioned in* Le Secret de maître Cornille. *In* Tartarin de Tarascon, *which is read in almost every language in Europe, he describes with sympathetic irony the adventures of a timid yet boastful Meridional.* Les Contes du lundi, *from which* La Dernière Classe *is taken, are sober tales which appeared after the Franco-Prussian war.*

davantage more

de, d' of, from, about, with, by, to, for, in

la **débâcle** collapse, breakdown

débarquer to disembark, land, put ashore

débarrasser (de) to free, relieve, rid, clear

débiter to retail, sell (*goods*) retail, recite

debout up(right), standing

la **décadence** decadence, decline (*of the Roman Empire*)

décembre *m.* December

déchirer to tear

décidément decidedly

décider to decide; **décider de** to decide to; **être décidé à** to be determined, resolved; **se décider à** to decide, make up one's mind

la **décision** decision

déclarer to declare

déclassé, –e transferred to a lower class, come down in the world

décocher to shoot, let fly, issue

déconseiller to advise against

la **déconvenue** disappointment, discomfiture

découper to cut up, carve

découragé, –e discouraged

le **découragement** discouragement

la **découverte** discovery

découvrir (*like* **couvrir**) to discover, uncover

décrire (*like* **écrire**) to describe

dedans in, inside; **au dedans** on the inside

la **défaite** defeat

le **défaut** defect, fault, flaw

défendre to defend, forbid

déferrer to unshoe (*horse*); **se déferrer** to cast a shoe

défiant, –e distrustful

défier to challenge, defy, dare

le **défilé** defile, gorge, march past
définir to define
la **définition** definition
dégarni, –e empty
le **degré** degree
dégringoler to tumble down, to come clattering down
dehors out(side); **au (en) dehors** outside
déjà already
le **déjeuner** breakfast, luncheon, lunch
déjeuner to breakfast, to take lunch
le **délabrement** dilapidation, disrepair
délasser to refresh, rest; **se délasser** to take relaxation
la **délicatesse** delicacy, refinement
délier to untie, release
délivrer to deliver
déloger to dislodge
demain to-morrow
la **demande** demand, proposal
demander to ask, ask for, demand; **se demander** to wonder
démasquer to unmask; **se démasquer** to take off one's mask
démener: se démener to struggle, throw oneself about, bustle about
démentir (*like* **mentir**) to give the lie to, contradict, deny
demeurer to remain, stay, dwell, live
demi,–e half; **à demi** half
la **démission** resignation
démodé, –e out of date, old-fashioned
la **demoiselle** young lady, girl
démonstratif,–ive demonstrative
le **denier** denier (*old Fr. coin*), penny; **les deniers** money
le **dénouement** outcome, ending
dénouer to untie, loosen
la **dent** tooth
la **dentelle** lace
le **départ** departure
dépêcher to dispatch; **se dépêcher** to hurry
dépeindre (*like* **peindre**) to depict, describe
dépendre (de) to depend (on)
le **dépit** spite, resentment
déplaire (*like* **plaire**) to displease
déplier to unfold
déposer to deposit, lay down
dépouiller to skin, strip (off), rob
depuis since, for, ago, from; **depuis que** since
déranger to disturb, derange
dernier, –ière last
dérouiller to take the rust off
la **déroute** rout, defeat; **en déroute** routed
derrière behind; **par derrière** behind, at the back
dès since, from; **dès que** as soon as
le **désastre** disaster
descendre to descend, come down, go down, get down, alight
la **description** description
désennuyer to amuse, divert, pass the time
désert, –e deserted

désespéré,–e despairing, desperate

le **désespoir** despair

déshonorer to dishonour, disgrace

désigner to designate, indicate, point out

le **désir** desire

désirer to desire, wish

désœuvré, –e unoccupied, idle

désolant distressing, disheartening, provoking

désolé,–e desolate, very sorry, grieved, sad

désormais, henceforth

dès que as soon as

le **dessin** drawing, sketch

dessiner to draw, design, sketch

dessous under, below, beneath; **en dessous** underneath; **au-dessous** below, underneath

dessus above, over, on top

le **destin** fate

destiner to destine, intend

le **détachement** detachment

le **détail** detail

le **détective** detective

déterminer to determine

déterrer to dig up

détester to detest

détourner to turn aside, turn away

la **détresse** distress

détromper to undeceive

la **dette** debt

deux two

deuxième second

dévaler to descend, go down

dévaliser to rifle, rob, plunder

le **dévaliseur** robber, burglar

devant before, in front of; **par**

devant in front

le **devant** front; **sur le devant** in the foreground

la **déveine** ill-luck

devenir (*like* **venir**) to become, become of; **qu'est-il devenu?** what has become of him?

dévêtir (*like* **vêtir**) to undress

deviner to guess

le **devoir** duty; **rendre ses devoirs** to pay one's respects

devoir (**devant, dû, je dois, je dus, je devrai, que je doive**) to owe, have to, be obliged to, be to, ought, must

dévoué, –e devoted

dia! driver's signal to the horse to turn left

le **diable** devil, wretch; **diable!** the deuce!

le **diamant** diamond

la **dictée** dictation

dicter to dictate

Dieu, –x *m.* God; **mon Dieu!** heavens! my goodness!

différer to differ

difficile difficult

digne worthy

le **dimanche** Sunday

diminuer to diminish

le **dîner** dinner

dîner to dine

le **diplomate** diplomat, diplomatist

dire (**disant, dit, je dis, je dis**) to say, tell; **c'est-à-dire** that is to say; **comme qui dirait** as you might say; **il n'y a pas à dire** there is no denying, say what you will

direct, –e direct

la **direction** direction
diriger to direct, manage, aim, guide; **se diriger vers** to proceed toward
le **discours** discourse, speech
la **discussion** discussion
discuter to discuss
disparaître (*like* **connaître**) to disappear
la **disparition** disappearance
dispenser to dispense, exempt, excuse
la **disponibilité** availability; **en disponibilité** available, free
dissimuler to dissemble, hide, conceal
distinctement distinctly
distingué, –e ditinguished, gentlemanly, refined
distribuer to distribute
la **distribution** distribution
divin, –e holy, sacred; le **Divin Enfant** the Holy Child
diviser to divide
dix ten
docile docile, submissive
le **docteur** doctor
le **dogme** dogma, doctrine
le **doigt** finger
le **domaine** domain, estate, property
le **dôme** cathedral (*in Italy*)
domestique domestic
domestique *m. and f.*, servant
le **dommage** damage, injury; **c'est dommage** it is a pity
dompter [dõte] to tame, subdue, overcome
le **don** gift
donavit (*Latin*) he gave
donc then, so, therefore, just (*often used merely for em-*

phasis, as 'do + verb')
donner to give; **donner sur** to look into, look out on
dont of whom (which), whose
la **Dore** *river in central France*
dorer to gild; **doré, –e** gilded, gilt, gilt-edged
dormir (**dormant, dormi, je dors, je dormis**) to sleep
le **dos** back; **en avoir plein le dos** to be fed up with it, to be sick of it
le **dossier** back (*of chair*)
la **dot** [dɔt] dowry
doucement softly, gently, quietly
la **douceur** sweetness, gentleness, pleasure, delight
douer to endow; **doué, –e** gifted
la **douleur** grief, sorrow, suffering, pain
douloureusement painfully, sorrowfully
le **doute** doubt; **sans doute** no doubt, of course
douter (**de**) to doubt
doux, douce sweet, pleasant, gentle, kind, nice, soft, mild
douze twelve
le **drame** drama
le **drapeau, –x** flag
dresser to erect; **se dresser** to stand up, rise
le **droit** right
droit, –e straight, right, just; **à droite** on the right; **de droite et de gauche** on all sides
drôle amusing, comical, odd, strange, droll; **quelle drôle d'idée!** what an odd idea!

la **dupe** dupe; **être dupe de** to be taken in by

dur, −e hard; **dur d'oreille** hard of hearing

durant during, for (*of time*)

durer to last, continue

le **duvet** down

E

eau, −x *f.* water; **laver à grande eau** to wash with plenty of water, scrub

ébahissement *m.* amazement, astonishment

ébats *m. pl.* frolic

éblouissant, −e dazzling, splendid

ébranler to shake

un **écart** deviation, swerve; **faire un écart** (*of horses*) to shy

écarter to separate, to thrust aside

échanger to exchange

un **échantillon** sample

échapper (**à**) to escape (from); **un saladier lui échappe des mains** a salad-bowl slips from his hands

une **échelle** ladder; **faire la courte échelle à quelqu'un** to give someone a lift up

un **écho** echo

un **éclair** lightning, flash

éclairer to light (up), illuminate

éclater to burst (forth), shine, blaze out

éclipser to eclipse, surpass

une **école** school

économe economical

une **économie** economy, saving

écouler to flow out, (*of time*) pass, lapse

écouter to listen (to)

écraser to crush

écrier: s'écrier to exclaim, cry out

un **écrin** jewel-case

écrire (**écrivant, écrit, j'écris, j'écrivis**) to write; **par écrit** in writing

une **écriture** (hand) writing

un **écroulement** collapse

un **écu** shield, crown (*old Fr. coin worth three francs*)

une **écurie** stable

une **éducation** education, bringing up

effacé, −e unobtrusive, withdrawn from view

effaré, −e scared, frightened

un **effarement** fright, dismay

effectivement effectively, actually, in reality

un **effet** effect, result; **en effet** in fact, indeed

efficace efficacious, effectual

effleurer to graze, skim the surface

un **effort** effort

une **effraction** housebreaking

effrayer to frighten, make afraid

effroyable frightful

égal, −e (**−aux**) equal

une **égalité** equality

égarer to mislead, lead astray; **égaré, −e** stray, lost

égayer enliven, gladden, cheer

une **église** church

eh! eh! oh! **eh bien!** well!

un **électeur** elector

une **élection** election

une **élégance** smartness

élégant, –e elegant, graceful, smart

un **élevage** breeding

élève, *m. and f.* pupil

élever to raise, erect, bring up; **bien élevé** well-bred; **s'élever** to rise, arise

élire (*like* lire) to elect

elle, elles she, her, it, they, them

embarrasser to embarrass, encumber

embaumer to have a sweet perfume of

embêtant, –e annoying, tiresome

embrasser to embrace, kiss

embrouiller to confuse, muddle; **s'embrouiller** to become confused

emmener [ămne] to take away, lead away

une **émotion** emotion

empêcher to prevent, hinder; **s'empêcher de** to keep from

un **empereur** emperor

un **emplacement** site, location, place

une **emplette** purchase

emplir to fill

un **emploi** employment, use

un **employé, –e** employee, clerk

employer to use; **s'employer** to busy oneself

empoisonner to poison

un **emportement** fit of passion, excitement

emporter to carry away, take away

empresser: s'empresser to hasten, to be eager

emprunter to borrow

ému, –e affected, moved

en *prep.* in, into, to, of, on, while, by

en *pron.* some, any, about them

un **encadrement** frame

un **encan** public auction

enchaîner to link up, carry on (*the conversation*)

enchanté, –e (de) delighted (to)

un **enchérisseur** bidder

encor *poet.* = **encore**

encore yet, again, still, too, else, more, also; **encore un** another; **encore une fois** once more

encre *f.* ink

endommager to damage, injure

endormir (*like* dormir) to put to sleep; **s'endormir** to go to sleep

endosser to put on (the back)

un **endroit** place, spot

une **enfance** childhood

enfant *m. and f.* child, lad

un **enfer** hell

enfermer to shut in; **s'enfermer** to shut oneself up

enfin finally, at last, anyway, in short

enfoncer to drive in, thrust in; **enfoncée la déveine!** my bad luck is at an end

enfuir: s'enfuir to flee, run away

enfumer to fill with smoke; **enfumé** smoky, smoke-blackened

un **engagement** promise, contract, liability

engager to engage, enlist, **s'engager** to enlist, to pledge oneself, promise

engranger to garner, bring into the barn

enguirlander to wreathe, encircle

une **énigme** [enigm] enigma, riddle

enjamber to step over, straddle

enlever to lift, raise, carry off, take away; **s'enlever** to rise

un **ennui** worry, annoyance, bother

ennuyer to annoy, worry, bore, weary; **s'ennuyer** to grow weary (*or* bored), long to return

ennuyeux,–euse boring, tedious, tiresome

une **enquête** inquiry, investigation

enragé, –e mad, crazy

enseigner to teach

ensemble together

enserrer to enclose

ensuite then, afterwards, next

entasser to pile (up); **s'entasser** to pile up, accumulate

entendre to hear; **faire entendre** to utter; **à n'y rien entendre** deafening; **donner à entendre à quelqu'un** to lead someone to believe

enterrer to bury

un **enthousiasme** enthusiasm

enthousiasmer to fire with enthusiasm

enthousiaste enthusiastic

entier, –ière entire, whole

entièrement entirely

entonner to intone, sing, strike up (*a song*)

une **entorse** sprain

entour: à l'entour round about

entourer to surround

un **entrain** heartiness, spirit, zest

entre between, among

entremêler to (inter)mix, (inter)mingle, intersperse

entreprendre (*like* **prendre**) to undertake

entrer (**dans**) to enter, come in, go in

entrevoir (*like* **voir**) to catch a glimpse of, have an inkling of

une **entrevue** interview

entr'ouvert, –e half-open

énumérer to enumerate

une **enveloppe** envelope

envelopper to wrap up

envers toward, to

une **envie** desire, longing, whim; **avoir envie de** to feel like, want

envier to envy

les **environs** neighbourhood, vicinity; **aux environs** in the vicinity

un **envoi** consignment

envoler: s'envoler to fly away

envoyer (**envoyant, envoyé, j'envoie, j'envoyai, j'enverrai, que j'envoie**) to send; **envoyer chercher** to send for

épancher to pour out

éparpiller to disperse, scatter; **s'éparpiller** to scatter

épars, –e scattered, straggling

épater (*fam.*) to astound, flabbergast, amaze

une **épaule** shoulder

épauler to bring (one's gun) to one's shoulder, take aim

une **épée** sword

épeler to spell

éperdu, –e distracted

un **épicier** grocer

une **époque** epoch, era, time

épouser to marry

épouvantable dreadful

une **épouvante** terror

épouvanter to terrify, appal

éprouver to test, try, feel, experience

un **équilibre** equilibrium

un **équivalent** equivalent

une **erreur** error, mistake

un **escabeau, –x** stool

escalader to scale, climb

un **escalier** stair, stairway

un **esclave** slave; **tomber esclave** to fall into slavery

Espagne *f.* Spain

un **Espagnol, –e** Spaniard

une **espèce** kind, sort, species

une **espérance** hope

espérer to hope, hope for

un **espoir** hope

un **esprit** mind, wit, spirit

un **essai** trial, attempt

essayer to try, attempt

essoucher to remove the stumps

essoufflé, –e out of breath, breathless

essuyer to wipe, dry

une **estime** esteem

et and; **et . . . et** both . . . and

une **étable** stable

établir to establish, settle;

établir ses comptes to count up the cost; **s'établir** to establish oneself, take up one's residence, settle down

un **établissement** establishment, premises

Étampes *city, south-west of Paris, in the department of Seine-et-Oise*

un **étang** pond, pool

un **état** state, condition, trade, profession, practice; **être dans tous ses états** to be in a great state; **de son état** by trade (*or* occupation)

un **été** summer

éteindre (*like* **craindre**) to extinguish, put out; **s'éteindre** to go out

une **étoffe** material

une **étoile** star

étonnant, –e astonishing, surprising

un **étonnement** astonishment

étonner to astonish, surprise, **s'étonner de** to be astonished at, wonder about

étouffer to suffocate, choke, smother

étrange strange, queer

étranger,–ère strange, foreign, unfamiliar; **un étranger** foreigner, stranger; **à l'étranger** in foreign parts, abroad

être (**étant, été, je suis, je fus, je serai, que je sois**) to be; **c'est que** the fact is that; **j'en étais là** I had got to that point; **il s'en fut** he went off

étreindre (*like* **craindre**) to

grasp, clutch

une **étrenne** (*usually in the plural*) New Year's gift

étroit, –e narrow, close, cramped

une **étude** study

un **étui** case

eux *m.* they, them; **eux-mêmes** themselves

Évangile *m.* Gospel

éveiller to wake, awaken, rouse, excite, enliven; **s'éveiller** to awake, wake up

éventrer to rip open

éventuel, –elle possible

un **évêque** bishop

évident, –e evident

éviter to avoid

évoquer to evoke, call forth

une **exactitude** exactitude, accuracy

exagérer to exaggerate

examiner to examine

exaspérer to exasperate

excellent, –e excellent

excepté *prep.* except

une **exception** exception

exciter to excite, stir up

une **exclamation** exclamation

une **excuse** excuse

une **exécution** execution

un **exemple** example; **par exemple** for example, the idea! by the way; **à leur exemple** following their example

exempter [egzăte] to exempt, excuse

un **exercice** exercise, drill; **faire l'exercice** to drill

une **exigence** unreasonable demand

un **exil** exile

exilé, –e exiled

une **existence** existence

un **expédient** expedient

une **expérience** experience, experiment

une **explication** explanation

expliquer to explain; **s'expliquer** to explain one's conduct

exploiter to work, operate

explorer to explore

un **explosif** explosive

une **explosion** explosion

une **exportation** exportation

exposer to display, set forth, explain

expressif, –ive expressive

une **expression** expression

exprimer to express

exquis, –e exquisite, dainty

une **extase** ecstasy, rapture

extraordinaire extraordinary

extraordinairement extraordinarily

extrêmement extremely

une **exubérance** exuberance

F

la **fable** fable

la **fabrique** factory

la **façade** facade, front

la **face** face; **en face de** opposite

fâché, –e displeased, angry, sorry; **fâché contre** annoyed with

facile easy

la **facilité** facility

la **façon** way, manner, fashion; **de façon à** so as to; **à sa façon** in his own way

le **facteur** postman

le **fagot** faggot, bundle of fire-

wood
faible weak, feeble, slight
faiblir to weaken
la faïence crockery, china
faillir (faillant, failli, je faux, je faillis) to fail; j'ai failli tuer I nearly killed
la faillite failure
la faim hunger
faire (faisant, fait, je fais, je fis, je ferai, que je fasse) to do, make, cause, cause to be, have, say; faire attention to pay attention; faire la classe to teach; faire peur à to frighten; faites donc! go ahead! faire de to do with; faire (*of distance*) to go; ça n'y fait rien that doesn't matter, never mind; se faire to become, take place, be done; il se faisait un grand tapage there was a great din; se faire entendre to make oneself heard
le fait fact; tout à fait quite, entirely; au fait in fact, after all; en fait de as regards
le faix burden, weight
falloir (—, fallu, il faut, il fallut, il faudra, qu'il faille) to be necessary, must, should, ought; ce qu'il nous faut what we need; un jeune homme comme il faut a gentlemanly young fellow
fameux, —euse famous, celebrated, notorious, wonderful
la famille family

familier, —ière familiar
familièrement familiarly
la fantaisie fantasy, fancy; de fantaisie fancy
la farandole farandole (*dance of the south of France*)
farcir to stuff (*poultry*)
la farine flour
farouche fierce, savage, wild
fatal, —e (*pl.* fatals) fatal, unlucky, ill-starred
fataliste fatalist, fatalistic
fatigant, —e tiring, tiresome
fatiguer to tire
la faute fault, mistake
le fauteuil armchair
faux, fausse false
la faveur favour
fébrilement feverishly
la fécondité fertility, inventiveness
la féerie fairyland
feindre (*like* peindre) to feign, pretend
la félicitation congratulation
féminin, —e feminine
la femme woman, wife
fendre to split, rend; des bouches fendues jusqu'aux oreilles mouths stretching from ear to ear
la fenêtre window
le fer iron; fer à cheval horseshoe
la ferme farm, farm-house
fermer to close, shut (off)
la fermeture fastening, clasp
le fermier, la fermière farmer
la ferraille scrap-iron
la fête feast, festivity, holiday, party
fêter to celebrate, make much

of

le fétu straw, **le fétu de paille** straw

le feu, –x fire

février *m.* February

le fiacre cab

fichu,–e beastly, awful, deuced

le fichu fichu, neckerchief

fidèle faithful

fier [fjɛːr], **fière** proud, haughty, bold

fier: se fier à to trust, rely on

le fifre fife

figer to stiffen

la figure figure, face

la filature spinning-mill

la fille girl, daughter

le fils son

fin, –e fine, dainty

la fin end; **à la fin** at last

final, –e (–aux) final

la finance cash, finance; **homme de finance** capitalist, banker

le financier financier, capitalist

la finesse fineness, shrewdness

finir to finish, end

fixe fixed, staring, steady

fixer to fix, gaze steadily at

flageoler (*of legs*) to shake, tremble, give way

le flair scent; **avoir du flair** to have a gift for finding things out

le fléau beam (*of a balance*)

la fleur flower

flotter to float

la flûte flute

la foi faith; **ma foi!** really! upon my word!

le foin hay

la fois time, occasion; **une fois** once; **à la fois** at the same time

la folie folly, madness

la fonction function, office, position

le fond bottom, foundation, back; **au fond** at the back, in reality, at heart; **à fond** thoroughly

la fondation foundation, founding, donation

le fonds funds, stock

la fontaine spring, well

la force strength

forcer to force, break open

la forêt forest

le forgeron blacksmith

la formalité formality

la forme form

former to form, make, create

fort, –e strong, hard, loud, clever, large, very; **c'est très fort** that's very clever

la fortune fortune

la fosse pit, hole

le fossé ditch

fou, fol, folle mad, crazy, foolish

la foudre thunderbolt, lightning

foudroyer to strike down, blast; **foudroyé –e** thunderstruck

le fouet whip

la fougère fern, bracken

la fouille digging, excavation

fouiller to dig, excavate, search; **se fouiller** to go through one's pockets

la foule crowd

la fourche fork

fournir to furnish, supply

fourré, –e lined with fur

fourrer to thrust, shove, stuff,

cram, bury, stow away
la **fourrure** fur
le **foyer** hearth, fireside, home
fragile fragile, frail
le **fragment** fragment
frais, fraîche fresh, cool
frais *m. pl.* cost, expenses;
  être en frais de to make
  an effort to, be at pains to
la **fraise** strawberry
franc, franche frank, free
le **franc** franc (*worth about twenty
  cents before the First World
  War*)
français, –e French; le
  Français Frenchman
la **France** France
**France, Anatole (François
  Thibault)** (1844-1924),
  *French novelist and critic,
  was born in Paris. The son
  of a bookseller, himself li-
  brarian of the French Senate
  and critic of the newspaper*
  Le Temps, *he spent all his
  life in an atmosphere of
  books. His first novel,* Le
  Crime de Sylvestre Bonnard
  (1881), *gained him immediate recognition.* Le Livre
  de mon ami (1885) *is the
  first of a series of boyhood
  reminiscences. The satirical
  vein evident in* Les Pains
  noirs *runs through much of
  his work* (La Rôtisserie de
  la reine Pédauque, Les
  Opinions de M. Jérome Coi-
  gnard, L'Ile des pingouins).
  *During the Dreyfus affair
  France aligned himself with
  the Socialists, against the*

*Army and Church, in defence
of the individual* (L'Histoire
contemporaine). *Anatole
France is an incomparable
stylist, one of the masters of
French prose.* "Caressez
votre phrase, elle finira par
chanter," *he advised. His
sentences have a grace and
musical quality which is dis-
tinctive.*

franchement frankly
frapper to strike, knock; **être
  frappé d'une apoplexie** to
  have a stroke
la **fraude** fraud, deception
la **frayeur** fright, fear
Fréchette, Louis (1839-1908),
  *Canadian poet, born in Lévis.
  After a few years spent
  practising law and editing a
  newspaper, he emigrated in
  1866 to Chicago, where he
  hoped to earn an easier liveli-
  hood. He returned to Canada in 1871. For five years
  he represented Lévis County
  in the House of Commons,
  but abandoned politics in
  1882 and devoted himself
  entirely to literature. Fréchette is known chiefly for
  his lyric poetry which recalls
  that of Hugo and the other
  French poets of the Romantic
  school. His prose works
  are*: Originaux et Détraqués,
  *in which he depicts French-
  Canadian types, and a collection of Christmas stories,*
  La Noël au Canada (1900),
  in which is contained Le Fer

à cheval.

la **fredaine** prank

frémir to tremble

fréquent, -e frequent

la **fréquentation** associating, associates

fréquenter to frequent, associate with

le **frère** brother; **en frères** like brothers

la **frise** frieze

frissonner to shiver, shudder

froid, -e cold

froisser to offend, hurt

le **froment** wheat

le **front** forehead, front

frotter to rub

le **fruitier**, la **fruitière** greengrocer

le **fulmicoton** gun-cotton

fumer to smoke

fureter to ferret, rummage, pry about

furieux,-ieuse furious

le **fusil** [fyzi] gun, rifle

la **futaie** wood, forest (*of full-grown trees*)

le **futur** future (tense)

G

la **gâchette** catch (*of lock*)

le **gage** pledge, security, pawn; les **gages** wages

gagner to earn, gain, win, reach

gai, -e gay, merry, cheerful

la **gaieté** gaiety

gaillard,-e hearty, jovial, in good form

le **gain** gain, profit

la **galanterie** gallantry, pretty speech, compliment

la **galerie** gallery, (*Can.*) veranda, porch

gallo-romain,-e Gallo-Roman

le **gamin** urchin, youngster

le **garçon** boy, fellow

le **garde** guard, keeper

garder to keep, guard, retain

le **gardien**, la **gardienne** guardian, keeper; **gardien de la paix** policeman

garnir to furnish, garnish, cover

la **garnison** garrison; **en garnison** garrisoned, stationed

le **gâteau** cake

gauche left; **à gauche** on the left

la **Gaule** Gaul

le **gaz** gas

le **gazon** grass, sward, lawn

gazonner to cover with sods or turf

la **gelinotte** hazel-grouse

le **gendre** son-in-law

la **gêne** embarrassment, uneasiness

gêner to inconvenience, embarrass; **se gêner** to put oneself out, hesitate

général, -e (-aux) general

le **genou, -x** knee

les **gens** *m.* people; **gens de la maison** servants

gentil [ʒɑ̃ti] **gentille** [ʒɑ̃ti:j] gentle, nice, fine, pretty; amiable, pleasing

géographique geographic

la **gerbe** sheaf

le **geste** gesture

gesticuler to gesticulate

giboyeux, –euse full of game

la **gifle** slap in the face, kick (*of rifle*)

gigantesque gigantic, huge

le **gilet** waistcoat, vest

le **gîte** resting-place, lodging, seat (*of hare*); **tuer un lièvre au gîte** to kill a hare sitting

la **glace** mirror

glacial, –e (–aux) icy

la **glissade** slide

glissant, –e slippery

glisser to slip, slide

la **gloire** glory

gloria in excelsis Deo! (*Latin*) Glory to God on high!

glorieux,–ieuse glorious, triumphant

le **gond** hinge

la **gorgée** mouthful, gulp, draught

la **gourde** gourd, flask

goûter to taste, enjoy, appreciate

la **goutte** drop

le **gouvernement** government

la **grâce** grace, charm, favour, pardon, mercy; **grâce à** thanks to

gracieux, –ieuse graceful, gracious

le **grain** grain, seed

la **graine** seed

la **graisse** grease, fat

graisser to grease

la **grammaire** grammar

grand, –e big, great; **grand ouvert** wide open

la **grandeur** size, greatness

grandir to grow tall, grow up

le **grand-père** grandfather

la **grange** barn

gras, grasse fat; **le gras** fleshy part; **faire la grasse matinée** to get up very late

gratis [gratis] gratis, for nothing, free of charge

les **gravats** *m.* rubbish (stones and plaster)

grave grave, solemn, serious

gravement gravely, seriously

le **gré** liking, taste, pleasure; **vendre de gré à gré** to sell by private contract

le **grec** Greek

la **grêle** hail, shower

grelotter to shiver

griffonner to scribble

le **grillage** grating; **grillage aux affiches** notice board

la **grille** iron bars, grating

la **grimace** grimace, wry face; **faire la grimace** to make a face

le **grincement** scraping

la **grippe** influenza

gris,–e grey

griser to make tipsy, intoxicate

grommeler to grumble, mutter

gronder to scold

gros, grosse big, large, great, fat, heavy

le **groupe** group

grouper to group, gather; **se grouper** to form a group, assemble

la **guenille** rag, tatter

guère: ne . . . guère hardly, scarcely

guérir to cure, recover

la **guérison** cure

la **guerre** war

le **guet** watch; **avoir l'œil au**

guet to keep a sharp look-out

guetter to watch for, lie in wait for

guider to guide

la **guigne** bad luck

H

*denotes h aspirate

habile clever, skilful

habilement cleverly

une **habileté** skill, expertness, ability

habiller to dress; **s'habiller** to dress (oneself), get dressed

un **habit** coat, suit; **habits** clothes

un **habitant, −e** inhabitant, resident, settler; (*in Canada*) habitant

une **habitation** dwelling

habiter to live (in), inhabit, occupy

une **habitude** custom, habit; **d'habitude** usually, ordinarily

habituer to accustom; **s'habituer à** to become accustomed to

une **haleine** breath

*hâler (*of sun, wind, etc.*) to burn, brown, tan

le *hanneton may-bug

*haranguer to harangue, *fam.* to lecture

*hardi, −e bold, daring

le *hasard chance; par hasard by chance, accidentally

*hasarder to hasard, risk, venture

la *hâte haste, hurry; avoir hâte (de) to be in a hurry (to)

*haut, −e high, tall, loud

*haut, *adv.* aloud, loudly

le *haut height, top; en haut up, upward

le *hautbois oboe

la *hauteur height

hébété, −e dazed

*hein! eh!

Hélène Helen

le *hennissement (anismã) whinnying, neighing

herbe *f.* grass

héroïquement heroically

le *héros hero

hésiter to hesitate

une heure hour, time, o'clock; à la bonne heure! good! de bonne heure early; tout à l'heure presently, just now, a moment ago; sur l'heure immediately; une heure du matin one o'clock in the morning

heureusement fortunately

heureux,−euse happy, fortunate

*heurter to knock against, hit, strike

la *hiérarchie hierarchy

une hirondelle swallow

une histoire story, history, affair

un hiver winter

le *Hollandais, −e Hollander

la *Hollande Holland

un hommage homage

un homme man

honnête honest; respectable, worthy, upright, decent

honnêteté *f.* honesty, decency

un honneur honour

honorable honourable, respectable

honorer to honour

la ***honte** shame

***honteux,–euse** ashamed, shameful

un **hôpital** hospital

un **horizon** horizon

une **horloge** clock

horrible horrible

horripiler to set on edge, to make one's flesh creep

***hors** out, out of

un **hôte,** une **hôtesse** host, guest

un **hôtel** hotel, town mansion, public building

le ***houblon** hop-vine

un ***housard** (*obs. for* **hussard**) hussar

***hue!** driver's signal to the horse to turn right

Hugo, Victor Marie (1802–1885), *French author, born in Besançon, was the son of General Hugo, an officer in Napoleon's army. His childhood was full of change and adventure, for the Hugo family followed their father to Corsica, Italy and Spain. Victor Hugo began to write poetry at an early age. During his life he continued to produce not only volumes of verse* (Les Orientales, Les Feuilles d'automne, Les Châtiments, Les Contemplations, La Légende des siècles, *etc.*) *but also plays* (Hernani, Ruy Blas) *and novels* (Les Misérables, Notre-Dame de Paris). *After the coup d'état in* 1851 *he was banished for opposition to Louis Napoleon, and remained in exile in Brussels, Jersey and Guernsey until after the fall of the Empire in* 1870. *He died in* 1885, *venerated by the whole nation, and was buried with great pomp in the Pantheon. He was the acknowledged head of the Romantic school and the outstanding literary figure of his century.* Après la Bataille *is one of the poems of* La Légende des siècles, *in which Hugo's purpose is to relate the history of the human race, struggling through the ages from darkness to light. Each poem expresses a philosophical or social idea.*

***huit** eight; **il y a huit jours** a week ago; **depuis huit jours** (for) the last week

hum! hum!

humain, –e human; **les humains** mankind

humanité *f.* humanity; mankind

humble humble

une **humeur** humour, mood

humide damp, moist, wet

humilier to humiliate

humilité *f.* humility

la ***huque** toque

***hurler** to howl, roar

un **hymne** song, hymn

I

ici here; **ici-bas** here below

une **idée** idea, notion; **venir à l'idée** to occur to

un **idiome** language, idiom
un **idiot, –e** idiot, imbecile, fool
une **idole** idol
il, *m.* he, it; **ils,** *pl.,* they
une **île** island
illuminer to illuminate
illustrer to illustrate
une **image** image, picture
une **imagination** imagination
imaginer to imagine, invent, fancy, picture; **s'imaginer** to fancy, suppose
imbécile idiotic, foolish; un **imbécile** idiot, imbecile
imiter to imitate
immédiat, –e immediate
immédiatement immediately
un **immeuble** house, building, real estate
immobile motionless
immodéré, –e immoderate, excessive
imparfait,–e imperfect
une **impatience** impatience
une **importance** importance
importer to be of importance, matter, signify; **n'importe** no matter, never mind; **n'importe quel malheur** some misfortune or other
imposer to impose
impossible impossible
une **impression** impression
imprimer to print
improviser to improvise
impuissant, –e powerless
inadmissible inadmissible
une **inadvertance** inadvertence; **par inadvertance** inadvertently, by an oversight
inattendu, –e unexpected

incapable incapable, unable
incessant, –e incessant, ceaseless, unceasing
un **incident** incident
incomparable incomparable
un **inconvénient** disadvantage
indécis, –e vague
indépendance (*f.*) independence
indicatif *m.* indicative (mood)
une **indication** indication, sign
indigne unworthy
indigner to make indignant, exasperate
indiquer to indicate
indirect,–e indirect
indiscret, –ète indiscreet
indûment unduly, improperly, unlawfully
industrieux,–ieuse industrious
inestimable priceless
infâme infamous, base
infatigable indefatigable, untiring
infernal, –e (–aux) infernal, diabolical
infini,–e infinite
un **infinitif** infinitive
une **infirmité** infirmity, weakness
influencer to influence
une **iniquité** iniquity, sin
une **injure** insult
injurier to abuse, insult
injustement unjustly
innocent, –e innocent
inoccupé, –e unoccupied
inonder to inundate, flood
inouï, –e unheard of, unprecedented, extraordinary
inquiet, –ète anxious, worried, uneasy

inquiétant, –e alarming

inquiéter to make anxious, worry; **s'inquiéter (de)** to worry (about), bother (about)

une **inquiétude** anxiety, uneasiness

une **inscription** inscription

inscrire (*like* **écrire**) to inscribe, enter, register, enrol

insensé, –e foolish, mad

insister to insist

insoupçonné, –e unsuspected

une **inspection** inspection

une **installation** establishment

installer to install; **s'installer** to install oneself, get settled

un **instant** instant, moment

un **instinct** instinct

une **instruction** instruction, education

instruire (*like* **conduire**) to instruct, teach, educate, inform

instruit, –e instructed, educated

un **instrument** instrument, implement, tool, means

une **insulte** insult

insupportable intolerable, unbearable

intact, –e intact, undamaged

une **intention** intention; **à son intention** in his honour, on his account; **avoir l'intention de** to intend to

intéresser to interest; **s'intéresser à** to be interested in

un **intérêt** interest

intérieur, –e interior, inside;

à l'intérieur on the inside, inside

intérim *m.* interim

intermittent, –e intermittent

interpeller to call upon; **l'interpellé** the one addressed

un **interprète** interpreter

interrogatif, –ive interrogative

interroger to question

interrompre to interrupt

intervenir (*like* **venir**) to intervene, interfere, interpose

intime intimate

un **intrigant, –e** intriguer, schemer

introduire (*like* **conduire**) to introduce, put in, show in; **s'introduire** to enter, get in

inutile useless, unnecessary, needless

inventer to invent, devise

une **invention** invention

une **invitation** invitation

un **invité, –e** guest

inviter to invite

invraisemblable improbable, unlikely

irlandais, –e Irish; un **Irlandais** Irishman

ironiquement ironically

irréprochable irreproachable

irriter to irritate

un **isolement** isolation

isoler to isolate

Israël *m.* Israel

une **issue** issue, outlet, way out

italique *m.* italic(s)

une **ivresse** intoxication

J

le **jabot** shirt-frill, jabot

jadis [ʒadis] formerly

jamais ever, never; **ne . . . jamais** never

la **jambe** leg

janvier *m.* January

la **jaquette** morning-coat, jacket

le **jardin** garden

le **jardinet** small garden

le **jardinier** gardener

jaser to chatter, gossip

jaune yellow

je I

le **jésuite** Jesuit

Jésus *m.* Jesus

jeter to throw; **jeter à bas** to demolish; **jeter un coup d'œil** to cast a glance

le **jeu, –x** play, sport, game, (*manner of*) playing, acting

jeune young

la **jeunesse** youth, young person, young people

le **joaillier** jeweller

la **joie** joy

joindre (joignant, joint, je joins, je joignis) to join, fold (*of hands*)

joli, –e pretty, fine

joliment nicely, in fine style

la **joue** cheek

jouer to play

le **joueur**, la **joueuse** player

le **jour** day, daylight; **tous les jours** every day; **le jour où** the day when; **mettre à jour** to bring to light, dig up; **le jour de l'an** New Year's Day

le **journal, –aux** newspaper

la **journée** day; **de la journée** all day long

le **joyau, –x** jewel

joyeusement joyously, merrily

joyeux, –euse joyous

jubilant, –e jubilant

la **jubilation** jubilation, rejoicing

le **juge** judge

la **jument** mare

la **jupe** skirt

jurer to swear, clash, be out of keeping

jusqu'à to, up to, until, as far as, even to

jusque as far as, up to, until; **jusque dans** even in; **jusqu'ici** thus far; **jusque-là** until then

juste just, right, fair; **au juste** exactly; **tout juste** just

justement just(ly), as it happens

la **justice** justice

justifier to justify

K

le **kaki** khaki

L

là there, here; **de là** hence

là-bas over there, yonder

Labiche, Eugène (1815-1888), *French dramatist, was born in Paris. He excelled in the vaudeville, a type of light play whose dialogue is interspersed with songs set to popular airs. Labiche is a kindly but shrewd observer* of human nature. His work is characterized by gaiety and good sense. A prolific writer, he produced ten volumes of comic plays. Among the best known are: Le Misanthrope et l'Auvergnat, Le Voyage de M. Perrichon *and* La Grammaire.

le **labour** tilling, ploughing; les **labours** ploughed land

labourer to plough

le **lac** lake

le **lacrymatoire** lachrymatory

là-dedans in there, inside, within

là-dessous under that, under there, underneath

là-dessus thereupon, upon that

La Fontaine, Jean de (1621-1695), *French poet, born in Château-Thierry in Champagne, best known for his fables. He used traditional subjects, but infused them with his own experience and temperament. La Fontaine is a keen observer of man and his frailties. His fables are miniature dramas. They depict men of all classes and all dispositions, often in the guise of animals, which he also knows and describes with precision and accuracy. De Sacy in his appreciation of the fables said very aptly that they supply three several delights to three several ages: the child rejoices in the* freshness and vividness of the story, the student of literature in the consummate art with which they are told, and the experienced man of the world in the subtle reflections on character and life which they contain.

là-haut up there

la **laideur** ugliness, shabbiness

la **laine** wool

laisser to let, leave, let one keep; **laisser tomber** to drop

le **lait** milk

lancer, to throw, hurl, start; **se lancer** to launch out into

le **langage** language, speech

la **langue** tongue, language

la **lanterne** lantern, lamp; **lanterne sourde** dark lantern

le **lapin** rabbit

large broad, wide, big

la **larme** tear

le **larron** thief; **le larron qui se repentit** (*see Luke* xxiii, 39-43)

latéral, −e (−aux) lateral, side

latin, --e Latin; le **latin** Latin

laver to wash

le, la, l', les him, her, it, them, the

la **leçon** lesson

le **lecteur,** la **lectrice** reader

la **lecture** reading

la **légende** legend

léger, −ère light, slight

le **lendemain** morrow, next day; le **lendemain matin** the next morning

lent, −e slow

lentement slowly

lequel, laquelle, lesquels, lesquelles which, who, whom, that

la **lettre** letter

leur, –s their

leur them, to them, for him

le **leurre** lure, enticement, delusion

le **lever** rising; **au lever du rideau** when the curtain rises

lever to lift, raise; **se lever** to get up, rise

la **lèvre** lip; **du bout des lèvres** half-heartedly

la **liaison** joining, connection, linking (*of words*)

le **libérateur**, la **libératrice** liberator, deliverer

la **liberté** liberty

libre free, vacant

lier to bind, fasten, tie, link two words (*in pronunciation*); **être lié avec quelqu'un** to be on intimate terms with someone

le **lieu, –x** place, spot; **au lieu de** instead of; **avoir lieu** to take place; **s'il y a lieu** if necessary

la **lieue** league (= 4 *kilometers*)

le **lièvre** hare

la **ligne** line

la **limite** limit

le **linge** linen *or* cotton clothes, household linen

la **liqueur** liquor, liqueur

le **liquide** liquid, drink

lire (**lisant, lu, je lis, je lus, je lirai que je lise**) to read

la **lisière** edge, border

la **liste** list

le **lit** bed

livide livid, very pale, ashen

le **livre** book

le **lobe** lobe

la **locution** locution, idiom, phrase

le **logement** lodging, dwelling, apartment

loger to lodge, dwell, live

le **logis** home, house, dwelling

la **loi** law; **homme de loi** lawyer

loin far; **de loin** from a distance; **au loin** in the distance

lointain, –e distant

le **lombard** native of Lombardy (*Italy*), financier, money lender. (*During the Middle Ages many money lenders came from Lombardy*)

long, longue long; **le long de** along; **tout au long** at full length, from beginning to end; **à la longue** in the long run

longtemps long, a long time; **il y a longtemps de ça** that's a long time ago

longuement for a long time, lengthily, at great length

la **longueur** length

Loos *town near Lille; Battle of Loos, name given to actions fought by the British in the Allied offensive in France, Sept. 25 to Oct. 19, 1915*

le **lorgnon** eye-glass

la **Lorraine** *a province of France, ceded to Germany in 1871, restored to France in 1918*

lorsque when

le **lot** share, portion, lot

la **louange** praise

louer to rent, hire, praise; **se louer** to hire out; **à louer** for rent

le **louis (d'or)** twenty franc piece

louisianais, –e of Louisiana

le **loup** wolf; **à pas de loup** stealthily

lourd, –e heavy

lourdement heavily

loyal, –e (–aux) loyal, faithful, honest

la **lueur** glimmer, gleam, faint light

lui he, him, to him, to her, it, to it, for him, etc.; **lui-même** himself; **lui y a = il y a**

luire (luisant, lui, il luit, il luisit) to shine

la **lumière** light

lundi *m.* Monday

la **lune** moon

les **lunettes** *f.* glasses, spectacles

la **lurette** (*corruption of* l'heurette, *dimin. of* heure *used only in* il y a belle lurette = ages ago

la **lutte,** wrestling, struggle

lutter to struggle

le **luxe** luxury

M

la **machine** machine, thing

madame madam, Mrs.; **mesdames** ladies

mademoiselle, mesdemoiselles Miss, the young lady

le **magasin** shop, store

le **magistrat** magistrate

le **magnan** silkworm, gathering silkworms

magnifique magnificent

magnifiquement magnificently

mai *m.* May

maigre thin, slender

la **main** hand; **à la main** in one's hand; **à pleines mains** by handfuls

maintenant now

le **maire** mayor

la **mairie** town hall

mais but

la **maison** house, home; **maison de commerce** business house, firm

la **maisonnette** small house, cottage

le **maître** master, teacher

la **majorité** majority

mal, –e (*archaic*) bad, fatal, ugly

mal ill, badly; **pas mal (de quelque chose)** a considerable amount of; **pas mal avare** quite miserly

le **mal,** les **maux** ill, evil, harm, difficulty; **mal à la tête** headache

malade sick, ill

maladroit, –e awkward, clumsy

la **malchance** bad luck

malencontreux, –euse unfortunate, unlucky

le **malfaiteur,** la **malfaitrice** malefactor, scoundrel, thief

malgré in spite of

le **malheur** misfortune; **de mal-**

heur of ill omen, unlucky, confounded

malheureusement unfortunately

malheureux, –euse unhappy, unfortunate; **le malheureux** the unfortunate fellow

malhonnête dishonest, rude

malhonnêtement dishonestly, rudely

malin, maligne evil, wicked, shrewd, cunning; **le malin** cunning fellow; **le Malin** the Evil One

la **malle** trunk

la **maman** mam(m)a

mamzelle *colloquial, abridged form of* **mademoiselle**

le **manche** handle

la **mangeoire** m a n g e r, crib, trough

manger to eat, squander, run through (*of money*); le **manger** food

le **maniaque** maniac, madman

manier to handle

la **manière** manner, way; **de quelle manière** how; **à leur manière** in their own way; **par manière de** by way of

manifester to manifest

manquer to lack, fail, miss; **manquer de** to lack, want, fail; **manquer à un rendez-vous** to fail to keep an appointment

la **mansarde** garret

le **manteau, –x** cloak, mantle

le **marchand, –e** merchant, dealer

marchander to bargain

la **marche** walk, gait, distance, journey, progress, step, stair

le **marché** market, market-place, bargain, deal

marcher to walk, go; **ça marche** things are going along all right

le **mari** husband

le **mariage** marriage

marié, –e married; **les jeunes mariés** the young couple

marier to marry, give in marriage, marry off; **marier avec** to marry to; **se marier** to marry, get married

le **marmot** child, brat

marquer to mark, record, indicate, show

le **marquis** marquis

le **Marseillais, –e** inhabitant of Marseilles; (*The Marseillais have a reputation for exaggerating*)

le **mas** (*Provençal*) small farmhouse

masquer to mask, hide, screen, conceal

massacrant, –e (*colloq.*) cross; **une humeur massacrante** a vile temper

la **masse** mass

la **masure** hovel, tumble-down dwelling

matériel, –elle material

maternel, –elle maternal

la **matière** matter, material, subject; **en matière de dogme** in matters of doctrine

le **matin** morning; **le matin** in the morning; **à matin = ce matin**

la **matinée** morning; **faire la grasse matinée** to lie abed late

maudit, –e cursed, confounded

Maupassant, Guy de (1850-1893), *French writer, born in Normandy. After serving in the war of 1870 he was employed in various government ministries in Paris. Most of his literary work was done from 1880 to 1890. During this period, in addition to collections of short stories he published novels, among which are* Une Vie, Bel Ami, Pierre et Jean, Fort Comme la Mort. *In an impersonal and often cynical way he describes characters with the most varied backgrounds: the shrewd Norman peasant, the city office-worker, the Prussian soldier, the member of Parisian high society, the Corsican bandit. In his last stories, under the influence of a mental illness, he often deals with fantastic and morbid themes. Maupassant excels as a writer of short stories. He is a very precise observer. His prose is simple, direct and harmonious.*

le **Maure** Moor

Maurois, André (Émile Herzog (1885-   ), *French biographer and novelist, son of a French industrialist, was born in Normandy. During the war of 1914-18 he was attached to the British army,* first as interpreter, then as liaison officer. The sketches he wrote at this time were published under the titles Les Silences du colonel Bramble (1918) and Les Discours du docteur O'Grady (1922). In these the interpreter Aurelle (Maurois himself) depicts with sympathy and understanding English types with whom he came in contact. La Conversion du soldat Brommit is taken from Les Discours du docteur O'Grady. Maurois is known for his "fictionized" biographies: Ariel (the life of Shelley), Disraeli, Byron, Chateaubriand, etc. He also wrote a considerable number of novels. During the war he published Tragédie en France (1940) and Why France Fell (1941). Maurois has lectured at Cambridge, Yale and Princeton Universities. He is a member of the French Academy.*

mauvais, –e bad; **au mauvais moment** at an awkward moment

la **mazette** poor horse, duffer

me me, to me

mécaniquement mechanically

méchant, –e bad, wicked, wretched, miserable

le **méfait** misdeed

méfier: se méfier to distrust, mistrust

meilleur, –e better; **le meil-**

leur best
mêler to mingle, mix
mélodieux, –ieuse melodious, harmonious
le **membre** member
même same, self, even, very; **tout de même** all the same
la **mémoire** memory
le **mémoire** memorandum, statement, report
menacer to threaten
le **ménage** housekeeping, housework, household, establishment, married couple; **femme de ménage** charwoman; **un petit ménage** light housekeeping
le **mendiant, –e** beggar
mener to lead, guide, conduct, take
le **mensonge** lie
mentionner to mention
mentir (*like* **sentir**) to lie
le **menton** chin
le **mépris** scorn, contempt
merci thanks, thank you, no thanks; **merci bien** thank you very much; **merci de** thank you for; **Dieu merci** thank God
la **mère** mother
méridional, –e (–aux) meridional, southern
mériter to merit, deserve
le **merle** blackbird
la **merveille** marvel, wonder
merveilleux, –euse marvellous
le **message** message
la **messe** mass; **grand'messe** high mass; **messe de minuit** midnight mass
Messer (*Ital.*) Mr.

la **mesure** measure
métallique metallic
la **méthode** method
méthodiquement methodically
le **métier** trade, profession, occupation
mettre (**mettant, mis, je mets, je mis**) to put, put on (*clothes, etc.*); **se mettre à** to begin; **mettre à jour** to bring to light, dig up; **se mettre à table** to sit down to table; **se mettre en route** to start off, set out
le **meuble** piece of furniture; les **meubles** furniture
meubler to furnish
la **meule** mill-stone
la **meunerie** flour-milling
le **meunier** miller; la **meunière** miller's wife
le **midi** noon, mid-day
le **mien**, la **mienne** mine
mieux better; le **mieux** best; **tant mieux** all the better
le **milieu, –x** middle, midst; **au milieu de** in the middle of
mille thousand
un **millier** (about a) thousand
mince thin, slight
le **ministère** ministry
le **ministre** minister
la **minoterie** flour-mill; **minoterie à vapeur** flour-mill run by steam
le **minotier** miller
le **minuit** midnight
la **minute** minute
le **miracle** miracle
le **miroir** mirror
misérable miserable, wretch-

ed; **le misérable** poor wretch, scoundrel

la **misère** poverty, wretchedness; **l'air misère** a poverty-stricken look

la **miséricorde** mercy

le **mistral** Mistral (*cold N.E. wind, blowing from the Alps down the valley of the Rhone*)

mobile mobile, movable

le **mobilier** furniture

le **modèle** model

modeste modest, unpretentious

les **mœurs** *f.* manners, customs, morals

moi I, me, to me, for me; **moi-même** myself

moindre (*comp. of* **petit**) less; le **moindre** smallest, slightest, least

moins less, minus; le **moins** least; **au moins** at least; **à moins que** unless

le **mois** month

moisir to grow mouldy *or* musty

la **moisson** harvest

la **moitié** half; **à moitié cuit** half baked; **à moitié chemin** half-way

le **moment** moment; **au mauvais moment** at a bad time, at an awkward moment; **en ce moment** at this moment; **au moment où** at the moment when, just when; **du moment que** (from) the moment that

momentané, –e momentary, temporary

mon, ma, mes my

le **monde** world, people, society; **tout le monde** everybody; **encore de ce monde** still alive

Monna Mrs. (*Italian*)

le **monsieur,** *pl.* **messieurs** gentleman, Mr., sir, the master

le **montagnard, –e** mountaineer, highlander

la **montagne** mountain

montant, –e rising; **robe montante** high-necked dress

monter to mount, climb, go up, carry up

montrer to show, point to

moquer: se moquer de to make fun of

moral,–e, –aux moral

le **morceau, –x** piece, morsel, bit

morigéner to instil good manners into, lecture

morne gloomy, dismal, dull

morose moody, gloomy

mort, –e (*past part. of* **mourir**) dead; le **mort** dead person, corpse

la **mort** death

le **mot** word

le **motif** motive, reason

motivé, –e justified

la **motte** clod (of earth)

Motus! [mɔty:s] hush! mum's the word!

le **mouchoir** handkerchief

moudre (moulant, moulu, je mouds, je moulus) to grind

mouillé, –e moist, damp, wet

le **moulin** mill; **moulin à vent** windmill

mourir (mourant, mort, je meurs, je mourus, je mourrai, que je meure) to die

la **moustache** moustache

le **mouton** sheep, mutton

le **mouvement** movement, motion

le **moyen** means, way; **plus moyen de dormir!** impossible to go to sleep again!

muet, –ette dumb, mute, silent; **"muet de toute lumière"** *a quotation from Dante's Inferno*

mugir to low, bellow, roar

multiplier to multiply

la **multitude** multitude

municipal,–e,–aux municipal

la **municipalité** municipality

munir to supply, provide, fortify

le **mur** wall

la **muraille** wall

mûrir to ripen, mature

murmurer to murmur, grumble

le **muscat** muscatel wine

le **musée** museum

museler to muzzle

la **musette** musette, bag-pipe

myope near-sighted

le **mystère** mystery

mystérieusement mysteriously

mystérieux, –ieuse mysterious

N

la **nage** swimming; **être en nage** to be in a perspiration

naïf, naïve artless, innocent

la **naissance** birth, high birth, lineage

naître (naissant, né, je nais, je naquis) to be born

la **naïveté** naivety, artlessness, simplicity

Nanterre *a town north-west of Paris*

la **nappe** table-cloth

nasalisé, –e nasalized

natif, –ive native, inborn

la **nation** nation

la **nature** nature

naturel, –elle natural; **au naturel** to the life, realistically

naturellement naturally

né, –e (*p.p. of* **naître**) born

ne, n' no, not; **ne ... pas** not; **ne ... que** only; **ne ... plus** no longer, no more; **ne ... jamais** never; **ne ... ni ... ni** neither ... nor; **ne ... rien** nothing; **ne ... point** not, not at all; **ne ... guère** hardly, scarcely

le **néant** nothingness, nought, naught, none (*on report-sheet, etc.*)

nécessaire necessary

la **nécessité** necessity

nécessiteux, –euse needy

négliger to neglect

le **négociant** merchant

le **nègre** negro

la **neige** snow

neigeux, –euse snowy

le **nerf** nerve; les **nerfs** [nɛːr] **net, nette** clear, clean, neat; **mettre au net** to make a fair copy of

le **nettoyage** cleaning
nettoyer to clean
neuf nine
neuf, –ve new
le **nez** nose; **le nez que fera monsieur Chatfinet** the face Mr. Chatfinet will pull
ni . . . ni (ne +) neither . . . nor
le **nid** nest
nippé, –e rigged out
la **nitroglycérine** nitroglycerine
le **niveau, –x** level; **de niveau** at the same level
noble noble
la **noce** wedding, wedding festivities
noctambule night-roving
Noël *m.* Christmas; **la Noël = la fête de Noël**
Noël *one of the authors of the* Nouvelle Grammaire française *first published in* 1823
noir, –e black; le **noir** darkness
le **nom** name, noun
le **nombre** number; **bon nombre de** a good many of
nombreux, –euse numerous
nommer to name, appoint, nominate
non no, not
la **none** ninth hour (3 p.m.); *daily prayers were said at this hour*
le **nordêt** *Can.* (= **nord-est**) north-east
le **nota** note
le **notaire** notary-public, solicitor
la **notice** notice, account
notre, nos our
nourrir to nourish, feed
la **nourriture** food

nous we, (to) us
nouveau, nouvel, nouvelle, nouveaux, nouvelles new; **de nouveau** anew, again; **à nouveau** anew, afresh
la **nouveauté** novelty
la **nouvelle,** news, piece of news; les **nouvelles,** news
la **Nouvelle-Orléans** New Orleans
le **noyer** walnut-tree
noyer to drown, flood, submerge
nu, –e naked, bare
le **nuage** cloud
nuire (nuisant, nui, je nuis, je nuisis) to injure, harm
nuisible harmful
la **nuit** night
nul, nulle no, not any
nullement not at all
le **numéro** number

O

Ô! oh!
une **objection** objection
un **objet** object; **objet d'art** work of art
une **obligation** obligation
une **obligeance** kindness
obliger to oblige, compel
oblique oblique, slanting
observer to observe, keep (to), adhere to (*rules, laws, etc.*)
un **obstacle** obstacle
obstiné, –e stubborn
obtenir (*like* **tenir**) to obtain
une **occasion** occasion, opportunity
une **occupation** occupation, employment, work

occuper to occupy; **occupé de** busy with, engaged in; **s'occuper (de)** to concern oneself with, attend to

une **odeur** odour

odieux, –euse hateful

Oedipe *son of Laius, king of Thebes. When he saw his wife's dead body before him he tore the brooches from her raiment and put out his eyes*

un **œil**, les **yeux** eye, eyes; **faire de gros yeux à** to make big eyes at, to look angrily; **coup d'œil** look, glance

une **œuvre** work; **bonnes œuvres** good works

offenser to offend

une **offensive** offensive

un **office** office, functions, duty, Divine Service

officiel, –ielle official

un **officier** officer

offrir (offrant, offert, j'offre, j'offris) to offer, present; **s'offrir quelque chose** to treat oneself to something

Ogareff (Ivan) *the traitor in Jules Verne's Michel Strogoff. He had given orders that Strogoff's eyes should be seared.*

ohé! hi! hullo! **ohé! du moulin** hi! you millers

une **oie** goose

un **oiseau, –x** bird

oisiveté *f.* idleness

une **olivade** olive-gathering

un **olivier** olive-tree

une **ombre** shadow, shade

on one, we, you, they, people

un **oncle** uncle

un **ongle** nail (*of finger*)

un **opéra** opera

opérer to operate, work

opiniâtre obstinate, stubborn, steady

une **opinion** opinion

opposer to oppose, offer resistance; **s'opposer à** to oppose

optique optic, of the eye

or now; **or çà** now then

or *m.* gold

oral, –e (–aux) oral

ordinaire ordinary, usual, common; **à l'ordinaire, d'ordinaire** usually, as a rule

un **ordinaire** usual fare; **un petit ordinaire facile** plain cooking

ordinairement ordinarily, usually

une **ordonnance** order, orderly, officer's servant, batman

un **ordre** order

une **ordure** dirt, filth; **les ordures** sweepings, garbage

une **oreille** ear

orgueilleux, –euse proud

orient *m.* the East, Orient

oriental,–e (–aux) oriental

un **ornement** ornament, adornment

orner to ornament, decorate, adorn

orthographe *f.* orthography, spelling

oser to dare

ôter to take off, take from, take away from

ou or

où where

oublier to forget
oui yes
ouïr (*archaic*) to hear
un **ou**til tool
outre besides, in addition to
ouvert, –e (*p.p. of* **ouvrir**),
 opened, open; **grand ouvert**
 wide open
une **ouverture** opening
un **ouvrage** work, piece of work;
 se mettre à l'ouvrage to
 set to work
un **ou**vrier workman; une
 ouvrière working-woman
ouvrir (**ouvrant, ouvert,
 j'ouvre, j'ouvris**) to open;
 ouvrir une parenthèse to
 open a parenthesis, begin on
 a digression

P

Padre padre, chaplain
paf! bang!
la **page** page
le **page** page(-boy)
la **pagée** (*Can.*) section (*of a
 fence between posts*)
la **paie** pay (*of soldiers*)
païen, –ienne pagan, heathen
la **paille** straw
le **pain** bread, loaf of bread
la **paire** pair
paisible peaceful, quiet
la **paix** peace
le **palais** palace
Palais-Royal *a group of con-
 nected buildings near the
 Louvre. The original palace
 was built by Richelieu. Later
 it was occupied for a long
 time by the princes of*
*Orleans. It now houses a
 theatre, shops, restaurants,
 etc.*
pâle pale
le **palier** landing
pâlir to turn pale
la **palme** palm, palm-branch
le **pan** skirt, flap, piece of a wall;
 pan coupé cant(-wall),
 corner wall
la **pancarte** placard, bill
le **panetier** pantler (*officer who
 had charge of the bread*)
le **panier** basket, hamper
le **pape** pope
le **papier** paper
par, by, through, by means of,
 with, at, per; **par-ci par-là**
 here and there; **par-dessus**
 over, above; **par là** in that
 district; **par le grand soleil**
 in the hot sun; **par-dessus
 le marché** into the bargain;
 **par les bons comme par
 les mauvais jours** in good
 times as well as in bad
le **paragraphe** paragraph
paraître (**paraissant, paru,
 je parais, je parus**) to
 appear, look, seem
parbleu! why, of course! to be
 sure! I should think so!
le **parc** park, grounds, enclosure
parce que because
parcourir (*like* **courir**) to run
 through, travel over, glance
 through
par-dessus over, above
le **pardon** pardon, I beg your
 pardon
pareil, –eille such, similar, like,
 equal

le **parent** parent, relative

la **parenthèse** parenthesis, digression; **par parenthèse** by the way; **entre parenthèses** in parentheses

parer to prepare, dress, trim, avoid, ward off; **se parer** to adorn oneself, dress richly; **parer un coup** to ward off a blow, be equal to the occasion

parfait, –e perfect

parfaitement perfectly

parfois sometimes, occasionally

le **parfum** perfume

parfumé, –e perfumed, sweet-scented

parier to wager, bet

parisien, –ienne Parisian

le **parlement** parliament, (local) courts

parler to speak; **parlé** aloud

la **paroisse** parish

la **parole** word, speech

la **part** part, share; **à part** aside; **de part et d'autre** on both sides

partager to divide, share

le **parti** party, decision, course, advantage, match (*in marriage*); **prendre un parti** to come to a decision, make up one's mind

le **participe** participle

particulier, –ière particular, special; **en particulier** in particular

particulièrement particularly

la **partie** part, portion, party, game, match; **faire partie**

de to be a part of, belong to; **partie . . . partie** partly . . . partly

partir (partant, parti, je pars, je partis) to depart, leave, set out, go off; **à partir de** from . . . on, beginning with

partitif, –ive partitive

partout everywhere

la **parure** finery, ornament, set (*of jewellery*), necklace

parvenir (*like* **venir**) to reach, attain, arrive (at), succeed (in)

pas not, no; **ne . . . pas** not

le **pas** step, pace, tread, gait, stride; **le pas de la porte** doorstep, threshold; **à deux pas** a few steps away

le **passage** passage

passager, –ère passing, momentary

le **passant** passer-by

le **passé** past; **le passé défini (simple)** Past Definite; **le passé indéfini (composé)** the Past Indefinite

passer to pass, go, spend; **passer devant** to pass by; **se passer** to pass, take place, happen

le **passereau, –x** sparrow; **ce petit passereau de Vivette** that lively little Vivette

le **pâté** pie, blot (*of ink*)

paternel, –elle paternal

la **patience** patience

le **patriarche** patriarch

la **patrie** country, native land

la **paupière** eyelid

la **pause** pause, stop, rest

pauvre poor

la **pauvreté** poverty

le **pavé** pavement; **le pavé de la batterie** (*Can.*) the planks on the barn-floor

le **pavillon** pavilion; **pavillon de chasse** shooting-lodge

payer to pay, pay for

le **pays** country; **pour nous rappeler le pays** to remind us of home

le **paysan,** la **paysanne** peasant

pécaïre! (*dialect of the south of France*) alas! poor things!

pêcher to fish

le **pécheur,** sinner

peigner to comb

peindre (**peignant, peint, je peins, je peignis**) to paint

la **peine** punishment, penalty, pain, sorrow, affliction, trouble, difficulty; **faire de la peine** to grieve, distress, vex; **peine perdue** labour lost; **à peine** scarcely, hardly; **à peine s'ils acceptent** they will hardly accept; **une âme en peine** a soul in purgatory

pencher to incline, bend, lean; **penché** leaning; **se pencher** to bend, lean, stoop

pendant during, for

pendant que while

pendre to hang

le **pêne** bolt; **le pêne à ressort** spring-bolt

pénétrer to penetrate

la **pensée** thought

penser to think, imagine

percer to pierce; **être percé** to have holes in it

le **perchoir** perch, roost

perdre to lose, waste, ruin

la **perdrix** partridge

le **père** father; **le père Machut** old Machut

la **perle** pearl

permanent, –e permanent

permettre (*like* **mettre**) to permit

le **perron** flight of steps (*outside a building*)

persister to persist

le **personnage** character

la **personne** person (*pl.*) people

personne *m.* (*pron.*) nobody, anybody; **ne . . . personne** nobody

personnel, –elle personal

la **perspective** prospect, outlook

la **perte** loss

peser to weigh

le **peseur** weigher

petit, –e little, small, lesser, minor; **le petit,** little boy, child; **un petit commis** a petty clerk; **petit à petit** little by little

la **petite-fille** grand-daughter

peu little, few, not very; **peu à peu** little by little; **nous allons voir un peu** we are just going to see

le **peuple** people, nation; **le peuple** the common people, the lower classes

peupler (de) to people (with)

la **peur** fear; **avoir (grand') peur** to be (much) afraid; **faire peur à** to frighten

peut-être perhaps

le **phénomène** phenomenon

la **phrase** sentence, phrase

physique physical

la **piastre** dollar

picorer to forage, pick, snap up

la **pièce** piece, play, room, coin; **pièce de terre** field

le **pied** foot, stalk *or* head (*of plants*); **à pied** on foot; **avoir bon pied, bon œil** to be hale and hearty

la **pierre** stone

pierreries *f. pl.* precious stones, gems

la **piété** piety

piétiner to trample, stamp

pieux, –euse pious

le **pigeon** pigeon

la **pile** pile

piller to pillage, ransack, plunder

le **pin** pine-tree, fir-tree

la **pince** pincers; **des pinces-monseigneur** (burglar's) jemmy

la **pioche** pick(-axe)

la **pipe** pipe

piquer to prick

pis *adv.* worse; **le pis** worst; **au pis aller** at the worst, if the worst comes to the worst

la **pitié** pity; **par pitié** for pity's sake

pitoyable compassionate

la **place** place, public square, seat

placer to place, put

un **placet** petition

le **plafond** ceiling

plaindre (*like* **craindre**) to pity; **se plaindre** to complain

la **plaine** plain, flat open country

la **plainte** complaint

plaintif, –ive plaintive

plaire (**plaisant, plu, je plais, je plus**) to please; **s'il vous plaît** if you please; **plaît-il?** what did you say? *or* I beg your pardon

plaisant,–e pleasant, comical

la **plaisanterie** joke, jest

le **plaisir** pleasure, enjoyment; **faire plaisir** to give pleasure

le **plan** plane, plan; **premier plan** foreground, down-stage

la **planche** board, plank

le **plancher,** floor

la **plante** plant

planter to plant

le **planteur** planter

le **plat** dish, course, plate

le **plateau** plateau, platter, tray, **pan** (*of a balance*)

la **plate-forme** platform, level ground (*by the mill*)

le **plâtras** débris of plaster-work, rubbish

le **plâtre** plaster

plein, –e full; **en plein** right in the middle; **en pleine rue** right in the street; **à plein cœur** heartily; **en pleine nuit** in the middle of the night; **boire à pleins verres** to drink one glassful after another

les **pleurs** *m.* tears

pleurer to weep

le **pli** pleat, fold, crease, habit

plier to fold

plisser to pleat

plonger to plunge; **plongé (dans sa lecture)** absorbed

la **pluie** rain

la **plume** pen

le **pluriel** plural

plus more; **le plus** most; **ne ... plus** no longer, no more; **de plus** more, besides; **au plus** at most

plusieurs several

le **plus-que-parfait** pluperfect (tense)

plutôt rather, sooner

le **poème** poem

le **poète** poet

le **politicien** politician

politique political

le **porte-malheur** bringer of bad luck

le **poste** post, station, position

la **poussière** dust

la **poche** pocket

le **poêle** [pwaːl, pwal] stove

le **poids** weight

le **poignet** wrist

le **poil** hair, fur

le **poing** fist

point, ne ... point, not, not at all; **il n'en veut point** he doesn't want it

le **point** point; **au point de vue** from the point of view; **sur le point du jour** at daybreak

la **pointe** point

la **police** police

polir to polish

le **pont** bridge, deck; **pont de la grange** (*Can.*) inclined driveway leading to barn-door

la **porcelaine** porcelain, china

la **porte** door

porté, –e inclined, disposed, in favour of

le **portefeuille** portfolio, pocket-book

le **porte-monnaie** *invar. in pl.* purse

porter to carry, aim, strike; **se porter** to be (*of health*)

le **portrait** portrait

poser to place, put; **poser (une question)** to ask

posséder to possess, own

possible possible; **s'il est possible!** is it possible!

le **pot** jug, pot; **elle n'entendait pas plus qu'un pot** she was as deaf as a post

le **pot-au-feu** beef-stew

la **poterie** pottery

le **pouce** thumb, inch

le **poulailler** hen-house

la **poule** hen

pour for, in order to, to, on account of, on behalf of; **le pour et le contre** the pros and cons

pour que in order that

pourquoi why; **pourquoi faire?** what for?

poursuivre (*like* **suivre**) to pursue

pourtant nevertheless, however, still

pourvu que provided that, if only

pousser to push, drive, blow, incite, utter (*a cry*)

pouvoir (**pouvant, pu, je peux** *or* **je puis, je pus, je pourrai, que je puisse**) to be able, can; **ça ne se peut pas** that can't be; **la police n'y pouvait rien** the police could do nothing about it

la **pratique** practice, custom,

business

pratiquer to practise, make

le **pré** meadow

la **précaution** precaution

précédent, –e preceding

précéder to precede

prêcher to preach

précieux, –ieuse precious, valuable

précipiter to throw down, hurl down; **se précipiter** to rush, come crashing down

précisément precisely, exactly

la **précision** precision

la **préfecture de police** police headquarters

préférer to prefer

premier, –ière first, primary, early

prémunir to forewarn; **se prémunir contre** to take precautions against

prendre (prenant, pris, je prends, je pris, je prendrai, que je prenne) to take; **prendre un pli** to acquire a habit; **se prendre** to be catching; **se prendre à** to begin

préoccupé, –e preoccupied, absorbed

les **préparatifs** *m.* preparations

préparer to prepare

la **préposition** preposition

près near, near by; **à peu près** nearly

près de near, close to

presbytérien, –ienne Presbyterian

la **présence** presence

présent, –e present; **à présent** now

le **présent** present

présenter to present, introduce, bring forward

le **président** president

presque almost, nearly

pressant, –e pressing, urgent

presser to press, squeeze, hurry, urge; **pressé, –e** in a hurry

prêt, –e ready, prepared

prétendre (à) to claim

prétentieux, –ieuse pretentious

prêter to lend

le **prêteur**, la **prêteuse** lender

le **prétexte** pretext

le **prêtre** priest

prévenir (*like* **venir**) to warn, inform, anticipate

prévoir (*like* **voir**) to foresee

prier to pray, ask, beg, request

la **prière** prayer, request

principal, –e (–aux) principal

la **prise** hold, grasp, grip; **aux prises avec** at grips with

la **prison** prison

la **privation** privation

priver to deprive

le **prix** price, prize; **à tout prix** at any cost

probable probable

probablement probably

le **procédé** process

la **procession** procession

prochain, –e next, nearest, close at hand, approaching; **le prochain** neighbour

procurer to procure

prodigieux, –ieuse prodigious, stupendous

produire (*like* **conduire**) to

produce

le **produit** product

la **profession** profession

profiter (de) to take advantage (of), avail oneself (of), benefit (by)

profond, –e profound, deep

le **projet** project, plan

projeter to throw, cast

la **promenade** walk

promener to take for a walk, take *or* carry about; **se promener** to take a walk, wander, pass

promettre (*like* **mettre**) to promise

prompt, –e (prɔ̃,-ɔ̃:t]prompt, quick, sudden

le **prône** sermon

le **pronom** pronoun

prononcer to pronounce; **prononcer un discours** to deliver a speech

la **prononciation** pronunciation

le **prophète** prophet

le **propos** purpose, resolution, remark; **à propos** opportunely, by the way; **à propos de** about, concerning

la **proposition** proposition, proposal, clause (*gram.*)

propre (*before noun*) own, (*after noun*) clean, neat, proper; **propre à** peculiar to

la **propriété** property, estate

prospérer to prosper

la **prostituée** prostitute (*see Luke* vii, 37-50)

protéger to protect

prouver to prove

la **Provence** Provence

la **Providence** Providence

la **prudence** prudence

le **prunier** plum-tree

prussien, –ienne Prussian

psychologique [psikɔlɔʒik] psychological

public –ique public

puis then, next, besides

puiser to draw

puisque since, as

la **puissance** power

puissant, –e powerful

punir to punish

la **punition** punishment

le **pupitre** desk

Q

le **quai** quay, wharf, embankment

la **qualité** quality, attribute, excellence

quand when, whenever

quant à as for

la **quantité** quantity

quarante forty

quatre four

quatre-sept *or* **quat'sept** (*Can.*) a kind of game played with cards

que (*adv.*) how; **que de!** how much, how many! what! **ne . . . que** only

que (*conj.*) that, as, than; **c'est que** it is because, the fact is

que (*interrog. pron.*) what; **qu'est-ce qui?** what (*subj.*); **qu'est-ce que?** what (*obj.*); **ce que** what; **ce que c'est que . . .** what . . . is; **qu'est-ce que c'est que?** what is?

que (*rel. pron.*) whom, which,

that; **un soir que** one evening when

quel, quelle what, what a, which, who

quelconque some . . . or other, any . . . what(so)ever

quelque some, any, *pl.* a few

quelque chose *m.* something, anything; **ça m'a fait quelque chose** I felt it a good deal

quelquefois sometimes

quelqu'un, quelqu'une someone, anyone

la **querelle** quarrel

la **question** question; **à présent qu'il en est question** now that there is a question of it

questionner to question

qui? who, whom

qui (*rel. pron.*) who, whom, which, that, the one who, those who; **ce qui** what, which

quinze fifteen; **dans quinze jours** in a fortnight

quitter to leave, give up

quoi what; **de quoi occuper** enough to occupy; **en quoi** wherein

quoique although

quotidien, –ienne daily

R

le **râble** back (*of hare or rabbit*)

la **race** race, pedigree, ancestry

racheter to buy again, to buy back, redeem

la **racine** root

raconter to tell, relate, recount

le **raconteur,** la **raconteuse** (story)teller, narrator

la **rage** rage, mania

le **ragoût** stew

la **raison** reason; **avoir raison** to be right

raisonnable reasonable, fair

raisonner to reason, argue

râler to have the death-rattle in one's throat, be at one's last gasp

ramasser to pick up, collect

ramener to bring back, take back

le **rang** row, line, rank (*in Canada, row of farms facing on the same road*); **au cinquième rang** on the fifth line

rangé, –e steady

ranger to arrange, put in order, tidy, set in rows; **se ranger à sa place** to take one's place; **range-toi** move back (*or* over)

rapide rapid, swift

rapidement rapidly

rappeler to recall, remind of; **se rappeler** to recall, remember

le **rapport** report

rapporter to bring back, yield, bring in; **se rapporter à** to refer to, relate to

rare rare

ras, –e close-cropped

le **rassemblement** assembling, gathering, fall in (*of soldiers*)

rassurer to reassure

le **râteau, –x** rake

le **râtelier** rack

rauque raucous, hoarse

ravi, –e (de) delighted (with)

ravoir (*like* **avoir**) to get back
le **rayon** ray, beam
la **réaction** reaction
réaliser to realize, carry out; **se réaliser** (*of a dream*) come true
rebelle rebellious
le **rebord** edge, ledge
recevoir (**recevant, reçu, je reçois, je reçus, je recevrai, que je reçoive**) to receive
le **rechange** replacement; **de rechange** spare
recharger to recharge, reload
la **recherche** search, pursuit
recherché, -e sought after
le **récipient** receptacle
le **récit** account
la **récitation** recitation
réciter to recite
la **réclamation** complaint, objection, protest
la **récolte** harvest
récolter to harvest, gather in
la **recommandation** recommendation
recommander to recommend
recommencer to begin again
la **récompense** reward
récompenser to reward
reconnaissable recognizable
la **reconnaissance** gratitude
reconnaître (*like* **connaître**) to recognize, acknowledge
recopier to recopy
recourir (*like* **courir**) to have recourse to, resort to
le **recueil** collection
le **recul** retreat, recoil, kick (*of rifle*)
reculer to move back, recoil;

se reculer to draw (step) back; **faire reculer** to push back
rédiger to draw up, draft, word, write
la **redingote** frock coat
redire (*like* **dire**) to tell again, repeat
redoubler to redouble, increase
redouter to dread, fear
réduire (*like* **conduire**) to reduce, compel
le **réduit** retreat, shed
réélire (*like* **élire**) to re-elect
refaire (*like* **faire**) to do again, go over again
refermer to close again
réfléchir to reflect; le **verbe réfléchi** reflexive verb
le **réflecteur** reflecting mirror, reflector
un **reflet** reflexion
la **réflexion** reflection (= *thought*)
réformer to reform
le **refrain** refrain, music
réfugier: se réfugier to take refuge, seek shelter
le **refus** refusal
refuser to refuse
le **regard** glance, look
regardant, -e particular, careful
regarder to look (at), watch, concern
le **régime** government, object (*gram.*); **l'ancien régime** the old régime (*the system of government in France before* 1789)
le **régiment** regiment
la **règle** rule, ruler

le **règlement** settlement, adjustment, regulation, rule

régler to regulate, arrange

régner to reign

le **regret** regret

regretter to regret

régulièrement regularly

la **reine** queen

les **reins** *m.* loins, back

réjouir to rejoice, delight

le **relâche** slackening, rest (*from regular work*); **travailler sans relâche** to work without intermission

relancer to throw back

relatif, –ive relative

relever to raise again, record, note, point out; **se relever** to get up again

la **religion** religion

reluisant, –e shining

la **remarque** remark

remarquer to notice, remark; **faire remarquer** to point out

le **remède** remedy, medicine, cure

remercier (de) to thank (for)

remettre (*like* **mettre**) to put back, deliver, hand over, give back, restore, put off; **se remettre,** to recover

remonté, –e cheered (*fam.* bucked up)

remonter to come (*or* go) up again, to go up stage (*i.e. toward the rear*)

le **remords** remorse

remplacer to replace

remplir to fill

la **rémunération** remuneration, payment

la **rencontre** meeting

rencontrer to meet, come upon, encounter

le **rendez-vous** appointment, appointed place of meeting

rendre to render, give back, return, make; **se rendre dans un lieu** to betake oneself *or* proceed to a place; **se rendre amoureux** to fall in love; **il était rendu au village** he was back in the village

renfermer to enclose, contain

le **renflement** swelling, rise

renifler to sniff

le **renom** reputation

renommer to re-elect

renoncer (à) to renounce, give up

renouveler to renew

le **renseignement** (piece of) information; **prendre des renseignements** to make inquiries

renseigner to inform, instruct; **se renseigner** to get information, inquire

la **rente** income

le **rentier,** la **rentière** person living on his income, man of means

rentrer to enter again, come in (*or* back) again, come home, return (home)

renverser to upset, spill, overturn, overthrow

renvoyer to send away, dismiss

répandre to spread, scatter; **se répandre** to spread, be scattered, run out

reparaître (*like* **paraître**) to reappear

réparer to repair

repartir (*like* **partir**) to set out again

le **repas** meal

repasser to repass, pass again

repentir: se repentir (*like* **sentir**) to repent

répéter to repeat

la **répétition** repetition

la **réplique** reply, cue; **donner la réplique** to give the cue, to prompt

répondre (à) to answer, reply, respond; **je vous en réponds** I'll answer for it, take my word for it

la **réponse** response, reply, answer

reporter to carry back, take back

le **repos** repose, rest

reposer to rest, lie (lay) down, repose; **se reposer** to rest

repousser to push back, push aside

reprendre (*like* **prendre**) to take back, take up again, resume, continue, reply; **se reprendre** to correct oneself

représenter to represent

réprimander to reprimand

le **reproche** reproach

reprocher to reproach

la **république** republic

la **réputation** reputation

la **requête** request

la **réquisition** requisition, levy

la **réserve** reserve

réserver to reserve

la **résistance** resistance

résister to resist

résolu, –e resolute, determined

la **résolution** resolution, resolve; **prendre une résolution** to make a resolve

résonner to resound, ring

résoudre (**résolvant, résolu** *or* **résous, je résous, je résolus**) to resolve, determine), make up one's mind

le **respect** [rɛspɛ] respect

respecter to respect

la **respiration** breath

le **ressort** spring

ressortir (*like* **sortir**) to go out again, come out again; **faire ressortir le sens** to bring out the meaning

la **ressource** resource

restaurer to restore

le **reste** rest, remainder; **du reste,** besides, moreover

rester to remain, stay, be left; **en rester là** to stop there

restituer to give back, pay back

le **résultat** result

le **retard** delay; **être en retard** to be late

retenir (*like* **tenir**) to hold back, retain, remember

retentir to resound, echo, ring

retirer to withdraw, take away, retract, pull back *or* out; **se retirer** to withdraw, retire

retomber to fall back

le **retour** return; **de retour** back

retourner to return, go back, turn over; **se retourner** to turn round, turn over

la **retraite** retreat, retirement;

en retraite retired

retrouver to find again, recover; **se retrouver** to be together again

réussir (à) to succeed (in)

la **revanche** revenge

le **rêve** dream; **faire un rêve** to have a dream

le **réveil** waking, awakening

réveiller to wake (up), waken, rouse; **se réveiller** to awake

la **révélation** revelation

révéler to reveal

revenir (*like* **venir**) to return, come back; **s'en revenir** to return, wend one's way back

le **revenu** income

révérend Reverend

la **révision** revision, review

revoir (*like* **voir**) to see again, revise

la **révolte** revolt

le **révolutionnaire** revolutionary

rhabiller to dress again

le **Rhône** Rhone (*river*)

le **rhum** [rɔm] rum

le **rhume** cold

la **ribambelle** long string (*of animals*)

riche rich

la **richesse** riches, wealth

la **ride** wrinkle

ridé, –e wrinkled

le **rideau, –x** curtain

rien nothing, anything; **ne . . . rien** nothing

rieur, –euse laughing, merry; le **rieur** laugher

la **rime** rhyme

rire (**riant, ri, je ris, je ris**)

to laugh; **rire de** to laugh at; **rire aux larmes** to laugh till the tears come; **tu veux rire** you are jesting

risquer to risk

le **rival, –aux** rival, opponent

Rivard, Adjutor (1868-1945), *eminent French-Canadian jurist and man of letters, born at Saint-Grégoire and educated at Laval University. Elected Bâtonnier of the Province of Quebec in 1918, he was raised to the Bench of the Court of Appeal in 1921. Judge Rivard was much interested in the French language in Canada, and wrote several books on this subject, among others,* Études sur les parlers de France au Canada (1914). *He was also one of the founders of the Société du parler français au Canada. His collection of sketches of French-Canadian life,* Chez nous, chez nos gens, *was crowned by the French Academy in* 1920.

la **rivière** river; **rivière de diamants** diamond necklace

la **robe** dress

robuste robust, sturdy

rôder to prowl, roam about

la **rognure** paring, clipping

le **roi** king

le **rôle** part, rôle; **à tour de rôle** in turn, by turns

romain, –e Roman

le **roman** romance, novel

rond round; **en belle ronde** in beautiful round hand

le **rond** round slice, ring

la **ronde** rounds; **à la ronde** round about

rondelet, –ette round, plumpish; une **somme rondelette** a tidy little sum

ronfler to snore

la **rose** rose; **rose** *adj.* rosy, pink

le **roseau, –x** reed

le **rosier** rose-bush

le **rossignol** nightingale, picklock, skeleton-key

le **rôti** roast

rôtir to roast

roublard, –e foxy, wily, artful, crafty

roucouler to coo

rouge red

le **roulant** (*Can.*) implements and live stock

rouler to roll

le **roulier** carter

la **route** road, route; **en route!** let's be off!

rouvrir to reopen, open again

roux, rousse reddish, russet

le **royaume** kingdom

rude rough, harsh

rudement roughly, harshly, hard, (*fam.*) awfully, mighty

la **rue** street

ruiner to ruin

ruineux, –euse ruinous

la **rumeur** confused *or* distant murmur, hum

ruminer to ruminate, chew cud

la **ruse** ruse, cunning

rusé, –e sly, crafty

S

la **Saar** (*or* **Sarre**) *river rising in the Vosges mountains, emptying into the Moselle*

le **sabot** wooden shoe

le **sac** bag, knapsack

sacré, –e sacred, consecrated, (*before noun*) damned

sacrebleu! confound it!

le **sacrifice** sacrifice

sage wise; **les sept Sages** the Seven Sages (*name given to seven philosophers of ancient Greece*)

sagement wisely

la **sagesse** wisdom

saint, –e holy, sacred; le **saint** saint

la **Saint-Michel** the feast of St. Michael, Michaelmas

la **Saint-Sylvestre** New Year's eve

saisir to seize, grasp

la **saison** season

la **salade** salad

le **saladier** salad-bowl

sale dirty

la **salle** room; **salle à manger** dining-room

le **salon** drawing-room

saluer to bow to, greet, salute

le **salut** safety, salvation

le **sang** blood

le **sang-froid** coolness, composure

sanglant, –e bleeding

le **sanglier** wild boar

sangloter to sob

sans without, but for

sans que without

la **santé** health, well-being

saoul [su], **–e** glutted, surfeited; **parler tout leur saoul** to talk as much as they liked

saperlotte! heavens!

sapristi! heavens! my word!

sarcler to weed

sartibois! bless me!

le **satin** satin

la **satisfaction** satisfaction

satisfaire (*like* **faire**) to satisfy

satisfait, –e satisfied

la **sauce** sauce

sauter to leap, jump, blow up, explode; **faire sauter une serrure** to burst a lock

sauvage savage, wild

sauver to save; **se sauver** to run away, escape

le **savant** scholar, man of learning

le **savetier** cobbler

le **savoir** knowledge

savoir (**sachant, su, je sais, je sus, je saurai, que je sache**) to know; (**c'est**) **à savoir** that remains to be seen; **je ne saurais le dire** I couldn't say

savonner to soap

la **scène** scene, stage

la **science** science, knowledge, learning

la **scierie** sawmill

le **scrupule** scruple

sculpter [skylte] to carve

se himself, herself, oneself, themselves, to himself, *etc.*

sec, sèche dry

sécher to dry

second, –e [səgɔ̃,–ɔ̃:d] second

la **seconde** second

secouer to shake

le **secret** secret

secret, –ète secret

la **sécurité** security

séduisant, –e fascinating, charming

le **seigneur** lord; le **Seigneur** God, the Lord

la **Seigneurie** seigniory, domain, manor

le **séjour** stay, sojourn

la **selle** saddle

selon according to

la **semaine** week

semblable similar

sembler to seem, appear

la **semelle** sole

semer to sow

le **séminaire** seminary, training college (*for the priesthood*)

le **sens** sense, meaning

sensible sensitive

sensiblement noticeably

le **sentiment** sentiment, feeling

sentir (**sentant, senti, je sens, je sentis**) to feel, smell; **faire sentir** to make heard, sound; **se sentir** to feel (*well, moved, etc.*); **sentir le mystère** to savour of mystery

séparer to separate

sept seven

le **sergent-major** quartermaster sergeant; **sergent de ville** policeman

sérieusement seriously, in earnest

sérieux, –ieuse serious, steady

le **sermon** sermon

serrer to press, grasp, put away, lock up; **serrer la main à** to shake hands with la **serrure** lock; **serrure à secret** combination lock

le **service** service; **avoir du service** to have seen service

servir (servant, servi, je sers, je servis) to serve; **se servir de** to use; **servir de** to serve as; **servir à** to be useful for

le **serviteur** servant

le **seuil** threshold

seul, –e alone, only, sole, single

seulement only, but, even

sévère severe, stern

le **shako** shako

le **shilling** shilling

si if, whether, suppose, what if

si so, yes

le **siècle** century

le **siège** seat, chair

le **sien,** la **sienne** *etc.*, his, hers, its, one's own

le **sieur** (*legal language*) Mr., the said

siffler to whistle

signaler to point out, report

la **signature** signature

le **signe** sign, signal

signer to sign

la **signification** meaning

signifier to mean, signify

le **silence** silence

silencieux, –ieuse silent

simple simple, single, ordinary, mere, plain (*of dress*)

simplement simply

simuler to simulate, feign, sham

le **singe** monkey

singulier, –ière singular, peculiar, remarkable, strange

le **sire** Lord, sir

sitôt as soon, so soon; **sitôt dit sitôt fait** no sooner said than done

la **situation** situation

six six

sobre sober, moderate

la **sœur** sister

soi oneself; **chez soi** at home

la **soie** silk

soigner to take care of

le **soin** care, attention; **avoir soin de** to take care of

le **soir** evening

la **soirée** evening, evening party

soit! [swat] so be it! all right! agreed! granted!

soixante sixty

le **sol** soil, ground

le **soldat** soldier

le **soleil** sun

solennel, –elle [sɔlanɛl] solemn

solide solid, substantial, stout

solitaire solitary, isolated, lonely

la **somme** sum, amount; **en somme** in short

le **somme** nap, sleep

le **sommeil** sleep

sommeiller to doze, sleep lightly

le **sommet** summit, top

son, sa, ses his, her, its, one's

le **son** sound

le **sondage** sounding, boring, probing

songer to dream, think

sonner to sound, ring, strike

la **sonorité** sonorousness, sonority

le **sorcier** sorcerer, wizard

le **sorouêt** *Can.* (= **sud-ouest**)

south-west

le **sort** fate

la **sorte** sort, kind; **de sorte que** so that; **de la sorte** in that way, thus

la **sortie** exit, departure, going out

sortir (**sortant, sorti, je sors, je sortis**) to go out, come out, take out

le **sou** sou (= 5 *centimes*), cent

le **soubassement** base, basement

le **souci** care, worry

soucier: se soucier de to care *or* worry about, mind

soucieux, –ieuse anxious, concerned

soudain, –e sudden; **soudain** (*adv.*) suddenly

soudainement suddenly

souffler to blow, recover one's breath

souffrir (*like* **offrir**) to suffer

le **soulagement** ease, relief

souligner to underline

soumettre (*like* **mettre**), to submit

le **soupçon** suspicion

soupçonner to suspect

le **souper** supper

souper to have supper

la **soupière** soup tureen

le **soupir** sigh

soupirer to sigh

la **souplesse** flexibility, adaptability, versatility

sourd, –e deaf, muffled; **lanterne sourde** dark lantern

sourd-muet, sourde-muette deaf-and-dumb

souriant, –e smiling, happy

la **souricière** mouse-trap, snare, police-trap

le **sourire** smile

sourire (*like* **rire**) to smile

sournoisement slyly

sous under, beneath; **sous la main** close at hand; **sous le vent** in the wind

la **sous-commission** sub-commission

le **sous-officier** n o n - c o m - missioned officer

soutenir (*like* **tenir**) to sustain, support, maintain

la **souvenance** remembrance

le **souvenir** memory

souvenir (*like* **venir**); **se souvenir de** to remember

souvent often

spécial, –e (**–aux**) special

le **spécialiste** specialist

le **spectre** spectre, ghost, apparition

le **sphinx** sphinx

spirituel, –elle spiritual, witty, clever

splendide splendid

la **stalle** stall

stationner to stop, stand, be stationed

strafer (*from the German* strafen) to punish

strict, –e strict

Strogoff, Michel *the chief character of Jules Verne's novel by that name*

la **strophe** stanza, verse

stupéfait, –e amazed, dumbfounded

la **stupeur** stupor, amazement

stupide stupid, silly, foolish

subir to undergo, submit to, put up with

le **subjonctif** subjunctive (mood)

subordonné, −e subordinate, dependent

substituer to substitute

la **substitution** substitution

le **succès** success

la **sueur** sweat, perspiration

suffire (suffisant, suffi, je suffis, je suffis) to suffice, be sufficient

suffisant, −e sufficient, adequate

le **suffixe** suffix

suggérer [syɡʒere] to suggest

la **suite** continuation; **tout de suite** immediately; **donner suite à** to carry out; **prendre sa suite** to succeed

suivre (suivant, suivi, je suis, je suivis) to follow

le **sujet** subject; **un mauvais sujet** a ne'er-do-well, a bad lot; **au sujet de** about (*something* or *someone*)

superbe superb, splendid

superposer to superpose; **les intérêts superposés** compound interest

supplémentaire supplementary

supporter to support, endure, bear

supposer to suppose

suprême supreme

sur, on, about, concerning, towards; **sur-le-champ** at once, immediately

sûr, −e sure, certain; **à coup sûr** surely, unerringly

le **surcroît** addition, increase; **par surcroît** into the bargain, in addition

la **surdité** deafness

surmonter to surmount

surprenant, −e surprising

surprendre (*like* **prendre**) to surprise

la **surprise** surprise

le **sursaut** start; **en sursaut** with a start

surtout above all, especially

la **surveillance** supervision

surveiller to oversee, watch over, superintend

suspendre to suspend, hang; **suspendu, −e** hanging

la **syllabe** syllable

le **symptôme** symptom

le **synonyme** synonym

le **système** system

T

la **table** table

le **tableau, −x** picture, blackboard, notice board

la **tablette** shelf (*of bookcase, etc.*); les **tablettes** writing-tablets

le **tablier** apron

la **tache** stain, spot, blot

la **tâche** task, job

tâcher (de) to try (to)

taciturne taciturn, silent

la **taille** height, stature

tailler to cut, sharpen

le **taillis** copse, brushwood, bush

taire (taisant, tu, je tais, je tus) to be silent (about) **se taire** to be *or* become silent

le **tambour** drum

tambouriner to drum

le **tamis** sieve

tandis que while, whilst, whereas

tant so, so much, so many; **tant mieux** so much the better; **tant bien que mal** as well as possible; **tant que** as long as

la **tante** aunt

tantôt soon, presently, a moment ago; **tantôt . . . tantôt** now . . . now, sometimes . . . sometimes

le **tapage** (loud) noise, din, uproar

taper to tap

la **tapisserie** tapestry

taquiner to tease

Tarascon *city in Provence on the Rhone*

tard late

tarder (à) to be slow (about), be long (in), delay

la **tasse** cup

le **taux** rate

tchécoslovaque Czecho-Slovak

te you, to you, for you, yourself, *etc.*

tel, telle such, so, like; **tel que** such as, just as

témoigner to testify, give evidence, show

le **témoin** witness

la **température** temperature

le **temple** temple

le **temps** time, weather, tense; **de temps en temps** from time to time; **en même temps** at the same time

tendre tender, loving

tendre to stretch, hold out, hand

tenir (tenant, tenu, je tiens, je tins, je tiendrai, que je tienne) to hold, keep; **tenir à** to be anxious to, make a point of, be keen about; **tenir compte** to take account; **tenir bon** to hold out; **tiens!** *or* **tenez!** here! well now! really!

la **tentation** temptation

tenter to tempt

la **tenture** hangings, tapestry

la **tenue** bearing, behaviour, carriage, dress, uniform

le **terme** term, expression

terminer to terminate, end, settle

le **terrain** land, ground, piece of ground, terrain

la **terre** earth, ground, land, soil; **par terre** on the ground

la **terreur** terror

terrible terrible

la **terrine** earthen dish

la **tête** head; **avoir la tête perdue** to be beside oneself; **une bonne tête** a good fellow

le **texte** text

le **théâtre** theatre

le **tic** bad habit, mania

la **tierce** third hour (9 a.m.)

le **tiers** third

tinter to ring, tinkle

tirer to draw, pull (out), take (out), shoot, get, extract; **tirer l'œil** to attract the attention; **s'en tirer** to get out of it; **se tirer d'affaire** to get out of a difficulty le **tiret** dash

le **tiroir** drawer

toi you, yourself, to you, *etc.*

la **toile** linen, canvas, cloth; **toile d'araignée** cobweb

la **toilette** toilet, dress

le **toit** roof

la **toiture** roofing, roof

tolérer to tolerate

tomber to fall, occur

ton, ta, tes your

le **ton** tone

tonitruant, –e thundering, like thunder

la **torchère** candelabrum

le **torchon** cloth (*for dishes* or *floor*)

le **tort** wrong; **faire tort à** to wrong, damage

la **torture** torture

torturer to torture

tôt soon

toucher to touch, draw (*money*); **toucher un mot** to drop a word

toujours always, still

la **tour** tower

le **tour** turn, trip, walk; **fermer à double tour** to double-lock; **à mon tour** in my turn; **tour à tour** in turn(s); **faire un tour** take a turn (walk)

la **tournée** tour, visit

tourner to turn; **se tourner** to turn around; **tourner (l'infinitif par le participe présent)** to replace

la **tournure** turn, construction

la **Toussaint** All Saints' Day (*November* 1st)

tousser to cough

tout, toute, tous, toutes (*adj.*), all, whole, every, each; **tout le jour** the whole day; **tous les deux** both; **tout le monde** everybody

tout *adv.* quite, wholly, completely; **tout de suite** immediately; **tout à coup, tout d'un coup** suddenly, all at once; **tout à l'heure** in a little while, presently, just now, a moment ago; **tout à fait** entirely, quite; **(pas) du tout** not at all; **tout de même** all the same; **tout en** while; **tout nouveau tout beau** a new broom sweeps clean; **tout enfant, Anselme . . .** when still a child, Anselme . . .

tout *m.* everything, all

tout-puissant, toute-puissante all-powerful, almighty

tracer to trace

traduire (*like* **conduire**) to translate

tragique tragic

le **train** train, noise, clatter; **en train de** busy, in the act of; **aller son train** to keep on just the same

traîner to drag, drag around, trot about

traire (**trayant, trait, je trais, –**) to milk

le **trait** trait, characteristic

le **trajet** journey, distance covered

la **tramontane** north wind

tranquille [trãkil] quiet, still, tranquil; **soyez tranquille** don't worry

tranquillement tranquilly, calmly, quietly, peacefully

la **tranquillité** tranquillity, calm, peace

transporter to transport

trapu thick-set, stocky

le **travail,** les **travaux** work, labour

travailler to work

travers: à travers through; **en travers de** across; **au travers de** through; **de travers** the wrong way, askew

traverser to cross, go through, penetrate

le **treillis** trellis(-work), lattice

treize thirteen

trembler to tremble

trente thirty

très very

le **trésor** treasure

le **tricorne** three-cornered hat

trimer to drudge, toil

la **tringle** rod

trinquer to clink glasses

triomphalement triumphantly

triomphant, –e triumphant

le **triomphe** triumph

Tristan Tristan *or* Tristram, *legendary figure of the Middle Ages, immortalized in Wagner's opera* Tristan und Isolde

triste sad

tristement sadly

la **tristesse** sadness

trois three

troisième third

tromper to deceive, cheat, disappoint, betray; **se tromper** to be mistaken

la **trompette** trumpet

le **trône** throne

trop too, too much, too many

trotter to trot, run about

le **trottoir** sidewalk

le **trou** hole

troubler to trouble, disturb

trouer to make a hole in; **troué** in holes

la **troupe** troop, band

le **troupeau** herd, flock

trousser to bundle up, pack up, tuck up; **joliment troussé** nicely put together

la **trouvaille** find, lucky find

trouver to find, think, consider; **se trouver** to find oneself, be, turn out

le **truc** knack, trick, dodge

la **truite** trout

tu you

tuer to kill

le **tumulus** [tymyly:s] tumulus, mound

le **tuyau** pipe, tube, dodge, tip (*in horse-racing, etc.*)

le **type** type, fellow, chap, bloke (*fam.*)

tyranniser to tyrannize over

U

un, une a, an, one; **les uns** some

unir to unite, join; **s'unir** to join

un **usage** custom, use

user to wear (out), use (up); **user de** to use, employ

un **ustensile** utensil, implement, tool

usure *f.* usury, wear (and tear)

un **usurier** usurer

utile useful

utilisable utilizable, capable of being turned to account

utiliser to utilize, turn to account

V

la **vacance** vacancy; les **vacances** vacation, holidays

la **vache** cow

vagabond, -e vagrant, roving

vague vague, faint

vaguement vaguely, dimly, faintly

vain, -e vain

le **vainqueur** victor, conqueror

la **vaisselle** dishes

le **valet** valet, footman

la **valeur** value, worth

la **valise** valise

valoir (**valant, valu, je vaux, je valus, je vaudrai, que je vaille**) to be worth, be as good as; **il vaut mieux, mieux vaut** it is better

la **valse** waltz; **faire un tour de valse** waltz around

valser to waltz

la **vapeur** steam

variable variable

varier to vary, change

le **vase** vase, receptacle

vaste vast, immense, spacious

la **veille** eve, day before

la **veillée** watch; **faire la veillée** to spend the evening

veiller to watch, be awake, be (*or* sit) up at night

vendredi *m.* Friday

venir (**venant, venu, je viens, je vins, je viendrai, que je vienne**) to come; **faire venir** to send for, bring; **venir de** to have just; **s'en venir** to come along; **venir au monde** to be born

vénitien, -ienne Venetian

le **vent** wind

la **vente** sale

le **ventre** belly, stomach

les **vêpres** *f.* vespers; **bonnes vêpres!** good evening!

le **ver** worm

le **verbe** verb

vérifier to verify

véritable veritable, real

la **vérité** truth

Verlaine, Paul (1844-1896), *French poet, born in Metz. To him melody was all-important in poetry. His verse is characterized by extreme simplicity of language and subtlety of rhythm, recalling the music of Debussy. Verlaine led a dissolute life and was for two years imprisoned for shooting and wounding the poet Rimbaud during a quarrel. While in prison he was converted to Catholicism, and some of his most beautiful poems, published under the title* Sagesse, *were inspired by this experience.* Le Ciel est, par-dessus le toit *is generally considered to have been written during his imprisonment.*

le **verre** glass

le **vers** verse, line (*of poetry*)

vers toward, to, about (*of time*)

vert, –e green

la **vertu** virtue

le **vestibule** vestibule, entrance hall

le **vêtement** garment; les **vêtements** clothes

le **vétérinaire** veterinary surgeon

vêtir (vêtant, vêtu, je vêts, je vêtis) to dress, clothe

la **veuve** widow

la **viande** meat

le **vice** vice

vicieux, –ieuse vicious; **vicieux au sujet de** mad about

la **victoire** victory

vide empty, vacant

le **vide** vacuum, empty space; **à vide** in empty space

vider to empty

la **vie** life

le **vieillard** old man

la **vieillesse** old age

vieillir to grow old, age

la **vierge** virgin; **la sainte Vierge** the Blessed Virgin

vieux, vieil, vieille, vieux, vieilles old; le **vieux** old man

vif, vive alive, keen, bright

la **vigne** vine, vineyard

vigoureusement vigorously

vigoureux, –euse vigorous, strong

le **village** village

le **villageois** villager

la **ville** town, city

le **vin** wine

vingt twenty

la **violence** violence; **se faire violence** to do violence to one's feelings, to constrain oneself

violent, –e violent

virer to turn

le **visage** face, visage

viser to aim

visible visible

la **visite** visit

visiter to visit

le **visiteur** visitor

vite fast, swift, quickly, swiftly

le **vitrage** windows, glass partition *or* doors

la **vitre** window-pane

vitrer to glaze, furnish with glass

vivement quickly, sharply, eagerly, in a lively manner

vivre (vivant, vécu, je vis, je vécus) to live

le **vocabulaire** vocabulary

le **voeu, –x** vow, pledge

voici here is, here are; **et voici que** and now

la **voie** way, road

voilà there is, there are, that is, there (you) are, **le voilà à faire un tour de valse** there he was waltzing round

voir (voyant, vu, je vois, je vis, je verrai, que je voie) to see; **voyons!** come! come now!

le **voisin** neighbour; **en voisin** as a neighbour

la **voiture** carriage

la **voix** voice, vote; **à mi-voix** in a subdued voice

le **vol** theft, stealing; **vol avec effraction** burglary

voler to steal, rob, fly

le **voleur**, la **voleuse** thief

la **volonté** will, (*pl.*) whims, caprices

volontiers willingly, gladly

la **volupté** voluptuousness, pleasure

voter to vote

votre, vos your

vouloir (**voulant, voulu, je veux, je voulus, je voudrai, que je veuille**) to will, be willing, want, wish; **nous ne voulons pas de** we don't want; **en vouloir à quelqu'un** to bear someone a grudge; **vouloir bien** to be willing; **que voulez-vous?** what do you expect? **comme tu voudras** as you please

vous you, yourself, yourselves, to you, *etc.*

la **voûte** vault, arch

le **voyage** journey

la **voyelle** vowel

vrai true; **pour (de) vrai** really, in earnest

vraiment truly, really, indeed

la **vue** view, sight; **en vue** in view

W

Wesleyen Wesleyan

Y

y there, in it, on it, to it, to them, *etc.* **Y êtes-vous?** are you ready? **ça y est** that's it, all right

yeux *m. pl. of* œil eyes; **ouvrir de grands yeux** to stand staring, to stare in amazement

Yvette *tributary of the Orge river, department of Seine-et-Oise*